Die erfolgreiche Initiativbewerbung

Christian Püttjer und *Uwe Schnierda* arbeiten seit 1992 als Trainer und Berater in den Bereichen Karriere, Bewerbung und Rhetorik. Ihre Erfahrungen aus Seminaren und Einzelberatungen haben sie, angereichert durch viele Tipps und Übungen, in zahlreichen Ratgebern veröffentlicht. Bei Campus erscheinen von Püttjer und Schnierda unter anderem *Erfolgreich im Assessment-Center, Die gelungene Online-Bewerbung, Erfolgsfaktor Körpersprache* und *Optimal präsentieren*.

Christian Püttjer & Uwe Schnierda

Die erfolgreiche Initiativbewerbung

Der Praxisratgeber für Auf- und Umsteiger

Illustrationen von Hillar Mets

Campus Verlag
Frankfurt/New York

Die Deutsche Bibliothek – CIP-Einheitsaufnahme

Ein Titeldatensatz für diese Publikation ist bei Der Deutschen Bibliothek erhältlich
ISBN 3-593-36944-3

Copyright © 2002 Campus Verlag GmbH, Frankfurt/Main
Umschlaggestaltung: Frank Koschembar/Gute Kommunikation, Frankfurt/Main
Umschlagmotiv: Holger Blatterspiel, Frankfurt/Main
Illustrationen: Hillar Mets, Tallinn
Fotos: Axel Nickolaus, Kiel
Satz: Publikations Atelier, Frankfurt/Main
Druck und Bindung: Druckhaus Beltz, Hemsbach
Gedruckt auf säurefreiem und chlorfrei gebleichtem Papier.
Printed in Germany

Besuchen Sie uns im Internet: www.campus.de

Inhalt

II. Aus Fehlern lernen:
das Trainingsprogramm für Ihren Erfolg

Einleitung

Die Initiativbewerbung ist *das* Instrument für aktive Bewerber. In unserer Beratungspraxis hat die Vorbereitung und Betreuung von Initiativbewerbungen einen hohen Stellenwert. Kunden, die mit ganz bestimmten Vorstellungen zu uns kommen, ein spezielles Profil haben oder gezielt zu ihrem Lieblingsunternehmen wechseln wollen, müssen von sich aus tätig werden, um ihre Vorstellungen realisieren zu können. Das Warten auf eine passende Stellenanzeige führt hier nicht zum Erfolg.

Nutzen Sie unsere Erfahrungen in der Beratung von Stellenwechslern, die den Um- oder Aufstieg schaffen wollen. Initiativbewerbungen verlangen von Ihnen mehr Einsatz und Vorarbeit als Bewerbungen auf eine Stellenanzeige hin. Daher sollten Sie konzentriert und zielgerichtet vorgehen. In diesem Ratgeber erläutern wir Ihnen Schritt für Schritt, wie Sie das am besten in Angriff nehmen.

Erfahrungen aus der Beratungspraxis helfen Ihnen weiter

Um Sie auch mit der praktischen Umsetzung unserer Techniken und Strategien vertraut zu machen, besteht dieser Ratgeber aus zwei Teilen. Im ersten Teil, *Die Etappen der Initiativbewerbung: Schritt für Schritt zum Bewerbungserfolg*, bekommen Sie das nötige Hintergrundwissen. Sie erfahren, nach welchen Regeln Unternehmen bei der Auswahl interessanter Bewerber vorgehen und welche besonderen Hürden Initiativbewerber nehmen müssen. Zahlreiche Beispiele und Übungen zeigen Ihnen, wie Sie bei Ihrer Initiativbewerbung vorgehen sollten. Die einzelnen Schritte, die auf Sie warten, verdeutlicht Ihnen die Übersicht 1.

Die Etappen der Initiativbewerbung: Schritt für Schritt zum Bewerbungserfolg

berufliche Stärken und Vorlieben herausfinden

Ansprüche an das Wunschunternehmen festlegen

ein Netzwerk aus Kontakten in Unternehmen aufbauen

persönliche Kontakte mit dem Telefon aktivieren

Bewerbungsmappe zusammenstellen

überzeugende Initiativanschreiben verfassen

strukturierte und aussagekräftige Lebensläufe ausarbeiten

geeignetes Bewerbungsfoto anfertigen lassen

schnelle Kontaktaufnahme mit Unternehmen per Online-Bewerbung

Stellengesuche in die Bewerbungsstrategie einbinden

in telefonischen Interviews bestehen

mit souveränen Nachfassaktionen im Gespräch bleiben

Profitieren Sie von unserer Erfahrung in der Beratung von Initiativbewerbern. Im zweiten Teil dieses Ratgebers, *Aus Fehlern lernen: das Trainingsprogramm für Ihren Erfolg*, zeigen wir Ihnen anhand von Praxisbeispielen, in welche Fallen Initiativbewerber immer wieder tappen und wie Sie es schaffen, diese elegant zu umgehen. Von der ersten Kontaktaufnahme über ein vorbereitendes Telefongespräch und die Anfertigung von Anschreiben und Lebenslauf bis zum telefonischen Interview können Sie die einzelnen Stationen der Initiativbewerbung in ihrer praktischen Umsetzung nachvollziehen. Die Gegenüberstellung misslungener und gelungener Aktivitäten schärft Ihren Blick für das Wesentliche und erleichtert Ihnen die Einordnung der Tipps und Strategien aus dem ersten Teil. Übersicht 2 zeigt Ihnen, wie Sie es schaffen, bei den Unternehmen Interesse für Ihr Qualifikationsprofil zu erwecken.

Lernen Sie aus den Fehlern anderer

Aus Fehlern lernen: das Trainingsprogramm für Ihren Erfolg

die richtige Kontaktaufnahme auf Messen

Informationen am Telefon erfragen

gelungenes Selbstmarketing mit dem Anschreiben

der Lebenslauf als informative Entscheidungshilfe

ein sympathischer Eindruck durch ein gutes Bewerbungsfoto

gekonnte Selbstdarstellung per E-Mail

Überzeugen im Telefoninterview

Einladung zum Vorstellungsgespräch

Übersicht 2

Gehen Sie diesen Ratgeber aufmerksam durch. Nutzen Sie unser Insiderwissen für Ihre Initiativbewerbung. Beschränken Sie sich nicht nur auf das Lesen, machen Sie die Übungen und lassen Sie die Beispiele auf sich wirken. Blättern Sie ruhig ab und zu zwischen dem ersten und zweiten Teil hin und her. Je deutlicher Ihnen die praktischen Konsequenzen unserer Anleitungen werden, desto mehr Gewinn werden Sie aus diesem Ratgeber für Ihre eigene Initiativbewerbung ziehen.

Nutzen Sie unser Insiderwissen

I

Die Etappen der Initiativbewerbung: Schritt für Schritt zum Bewerbungserfolg

1

Initiative zeigen,
statt blind bewerben

Initiativbewerbungen eignen sich vorzüglich, um die jeweilige Wunschposition zu erreichen. Für den Erfolg ist eine gute Vorbereitung allerdings unabdingbar. Blindbewerbungen, die sich mehr durch Masse als durch Klasse auszeichnen, sind vollkommen ungeeignet. Um bei Personalverantwortlichen Interesse zu wecken, sollten Sie professionell vorgehen. Werden Sie Ihr eigener Headhunter.

Immer wieder versenden Initiativbewerber Bewerbungsmappen oder Online-Bewerbungen, ohne sich vorher mit den Wünschen der Unternehmen auseinander zu setzen und das eigene Profil darauf abzustimmen. Diese Bewerber verwechseln eine Initiativbewerbung mit einer Blindbewerbung. Typische Negativmerkmale von Blindbewerbungen sind der immer gleiche Standardtext im Anschreiben und der schablonenhafte Lebenslauf. Blindbewerbungen werden gern mithilfe von Adresssammlungen am PC als Serienbrief erstellt. **Initiativbewerbungen brauchen Vorarbeit**

Initiativbewerbungen unterscheiden sich dagegen deutlich von Blindbewerbungen durch die geleistete Vorarbeit. Bevor Sie Ihre Initiativbewerbung an Ihre Wunscharbeitgeber schicken, sollten Sie *Initiative* zeigen. Arbeiten Sie Ihr Profil aus, sammeln Sie Informationen über den Wunscharbeitgeber, knüpfen Sie Kontakte zu Unternehmensvertretern, greifen Sie zum Telefon, um die Kontakte zu intensivieren, und verschicken Sie – online oder auf dem Postweg – passgenaue Anschreiben und Lebensläufe.

Aktionismus in Aktion

Beratung

In unsere Beratung kam ein Produktmanager. Er erzählte uns, dass er bei seinem momentanen Arbeitgeber etwas unter Druck stehen würde und sich deshalb nach etwas Neuem umsehen wollte. Als wir unseren Kunden nach seinen bisherigen Bewerbungsaktivitäten fragten, kam heraus, dass er schon einige Initiativbewerbungen in Angriff genommen hatte, die jedoch sämtlich erfolglos verlaufen waren.

Prinzipiell war der Produktmanager mit einem guten Ansatz gestartet. Er hatte sein Gedächtnis nach ehemaligen Kollegen, Bekannten und Geschäftsbeziehungen durchforstet, Kontakte aufgenommen und sich Ansprechpartner für seine Bewerbungsaktivitäten empfehlen lassen. Bis zu diesem Punkt war seine Vorarbeit gut gelaufen. Dann ließ sein Engagement jedoch nach, und ohne weitere Vorbereitung hatte er zum Telefonhörer gegriffen.

In einem von uns nachgestellten Telefongespräch wurde deutlich, dass der Produktmanager nicht gerade ein Experte im Selbstmarketing war. Er ließ sich schnell auf ein Gespräch über die Missstände an seinem momentanen Arbeitsplatz ein, er thematisierte seine Unzufriedenheit und nannte sogar die Befürchtung, dass eine von ihm betreute Produkteinführung sich nicht als besonders erfolgreich herausstellen werde. Mit seinen Anrufen hatte er die konkurrierenden Unternehmen, bei denen er sich ins Gespräch bringen wollte, natürlich glücklich gemacht, aber wenig für sein ursprüngliches Ziel – einen neuen Arbeitsplatz – erreicht.

Wir rieten ihm dringend, sich nicht noch weitere Türen zuzuschlagen. Zunächst erarbeiteten wir mit ihm ein aussagekräftiges Profil, übten die Vermittlung seiner Qualifikationen und trainierten das Führen von Telefongesprächen. Mit seiner neuen, positiv ausgerichteten Strategie, die auf der Vermittlung seiner besonderen Erfolge beruhte, schaffte er es, sich als interessanter Kandidat ins Gespräch zu bringen. Trotz seiner eingeschränkten Auswahl an möglichen Arbeitgebern, die er sich durch unvorbereitete Anrufe eingehandelt hatte, gelang es ihm, zu einem anderen Unternehmen zu wechseln und das sinkende Schiff rechtzeitig zu verlassen.

Fazit: Der Schuss aus der Hüfte geht bei Initiativbewerbungen meist daneben. Die Gefahr, sich bei der Suche nach der Wunschposition selbst den Weg zu verbauen, ist immer vorhanden. Probleme, Krisen und Schwierigkeiten am derzeitigen Arbeitsplatz haben in der Selbstdarstellung nichts zu suchen. Für eine erfolgreiche Bewerbung ist eine gute Vorbereitung absolute Pflicht.

Werden Sie Ihr eigener Headhunter

Mit der Initiativbewerbung eröffnen Sie sich ganz neue Horizonte im Bewerbungsverfahren. Sie werden unabhängiger von Stellenangeboten und können Ihrerseits auf die Suche nach Ihrer Wunschposition gehen. Werden Sie Ihr eigener Headhunter!

Wenn Sie unsere Methode nutzen, um sich initiativ zu bewerben, müssen Sie ähnlich wie ein Headhunter vorgehen. Wir werden Ihnen die Strategien dieser professionellen Vermittler

So eröffnen Sie sich neue Horizonte

von Unternehmens- und Bewerberwünschen vermitteln, damit Sie professionell und erfolgreich zur neuen Stelle kommen.

Worin besteht die Arbeit eines Headhunters? Was tut er, um Unternehmen ganz bestimmte Kandidaten schmackhaft zu machen? Wie stellt er sicher, dass der Bewerber zum neuen Unternehmen passt? Ein Headhunter würde niemals seine Energie verschwenden, um sein Vermittlungsgeschäft mit breit gestreu-

Gehen Sie wie ein Head-hunter vor
ten Standardformularen zu betreiben. Ein Headhunter baut gezielt Kontakte zum Unternehmen auf und sorgt dafür, dass er auf einen konkreten Ansprechpartner für seine Vermittlungsbemühungen zurückgreifen kann. Um Kontakte zu vertiefen, setzt er das Telefon ein. Ein Headhunter wird niemals ein Unternehmen ungefragt mit Bewerbungsunterlagen bombardieren. Zuerst wird er in einem Gespräch den Bedarf ermitteln, damit er auf die speziellen Wünsche des Unternehmens eingehen kann.

Ist ein geeigneter Kandidat gefunden, nimmt ein Headhunter einen ersten Profilabgleich mit seinem Ansprechpartner im Unternehmen vor. Am Telefon werden wesentliche Punkte des Qualifikationsprofils besprochen. Mit den Informationen aus diesem Telefongespräch und vorab recherchierten Fakten über

Abgleichung von Profil und Anforde-rungen
das Unternehmen wird sich ein Headhunter dann mit dem Kandidaten zusammensetzen, um herauszufinden, ob dieser wirklich zum Unternehmen passt. Dabei wird es nicht nur um das Profil gehen, sondern auch um die geografische Lage des Unternehmens, die zu erwartende Arbeitsbelastung und grundsätzliche Fragen der Unternehmenskultur. Nicht jeder Bewerber passt in ein mittelständisches Unternehmen auf dem Land, und nicht jeder Bewerber wird lange Dienstreisen akzeptieren.

Grundsätzlich wird der Headhunter in knapper und präziser Form mit dem Unternehmen kommunizieren. Wenn er Kandidaten am Telefon darstellt, wird er besondere Highlights ihrer bisherigen Berufstätigkeit nennen. Selbstverständlich wird ein Headhunter einen Kandidaten, den er für geeignet hält, im Gespräch mit dem Auftraggeber nicht abwerten oder seine Kenntnisse relativieren. Er wird den Bewerber in einem guten Licht präsentieren und zur Beschreibung von dessen Fähigkeiten Schlagworte einsetzen, die seine Tauglichkeit für die zu vergebende Position hervorheben.

Die schriftliche Bewerbung seines Kunden wird der Headhunter daraufhin überprüfen, ob das Anschreiben als Kurzgutachten über das Qualifikationsprofil des Bewerbers gestaltet ist. Beim Lebenslauf wird er einen roten Faden der beruflichen Entwicklung herausarbeiten und darauf drängen, dass er positionsbezogen ausgestaltet wird. Natürlich wird die Bewerbung zielgerichtet an einen ganz bestimmten Ansprechpartner versandt. Mit dem Abschicken der Unterlagen hat der Headhunter seine Arbeit noch nicht erledigt; er wird sich weiter beim Unternehmen melden, bis eine Einigung zwischen dem Bewerber und dem Unternehmen zustande gekommen ist.

Die professionelle Vorbereitung von Bewerbungen

Treten auch Sie mit Ihrer Initiativbewerbung professionell auf: Nutzen Sie die Arbeitsweise von Personalprofis, machen Sie sich selbst zum Headhunter. Wir vermitteln in diesem Bewerbungsratgeber, wie Ihnen dies gelingt. Unsere Tipps, Techniken und Strategien geben Ihnen praktische Hilfestellung für Ihre Initiativbewerbung: Lernen Sie, Ihre beruflichen Ziele zu erkennen, machen Sie sich Ihre Vorlieben und Stärken klar und erstellen Sie eine Bestandsaufnahme Ihrer bisherigen beruflichen Leistungen. Hören Sie nicht bei der Definition Ihrer Wunschposition auf, sondern legen Sie auch Ihren Wunscharbeitgeber fest. Sie müssen am Anfang kein Unternehmen benennen, sollten aber herausfinden, welche Unternehmensform Ihnen am meisten zusagt. Wenn Sie sich entschieden haben, nutzen Sie alle Recherchemöglichkeiten, um das zu Ihnen passende Unternehmen zu finden. Bevor Sie in Kontakt mit Ihrem Wunschunternehmen treten, werden Sie sich plausible Argumente für Ihre Wechselabsichten erarbeiten und lernen, den Blick nach vorn zu richten. Auf diese Weise vorbereitet, können Sie dann zum

Diese Strategien bringen Sie zum Ziel

Telefonhörer greifen. Sie aktivieren persönliche Kontakte und gehen auf die Suche nach Ansprechpartnern in Ihrem Wunschunternehmen. Mit einer knappen, aber informativen Selbstdarstellung werden Sie Interesse erwecken und erste Sympathiepunkte bei potenziellen Arbeitgebern sammeln. Natürlich **Pluspunkte** müssen Sie auch telefonisch aktiv werden, um Zusatzinformati- **durch eine** onen zu erfragen und bei sich bietenden Möglichkeiten einen **knappe infor-** ersten Profilabgleich mit Ihrem Ansprechpartner vorzuneh- **mative** men. Sie punkten mit Ihrer Bewerbungsmappe, wenn Sie telefo- **Selbstdar-** nische Informationen einfließen lassen. Ein als Kurzgutachten **stellung** verfasstes Initiativanschreiben und ein positionsbezogener Initiativlebenslauf, aus dem Ihre berufliche Entwicklung und Ihre bisherigen Tätigkeiten deutlich werden, machen Sie zum Wunschkandidaten. Genießen Sie Ihren Etappensieg, aber bleiben Sie gewappnet: Überzeugen Sie in telefonischen Interviews, wenn das Unternehmen sich bei Ihnen meldet.

Mit dieser Vorgehensweise werden Sie die Chancen, die Ihnen Initiativbewerbungen bieten, ausschöpfen. Sie werden sich neue berufliche Möglichkeiten erschließen und sich freier auf dem Arbeitsmarkt bewegen können. Im Gegensatz zu anderen **Greifen Sie** Bewerbern erhalten Sie Zugriff auf den verdeckten Stellen- **auf den** markt, können bei Ihrer Bewerbung aktiv Ihre Wünsche vertre- **verdeckten** ten und müssen nicht nur auf Angebote der Unternehmen rea- **Stellen-** gieren. Erarbeiten Sie sich einen professionellen Auftritt: **markt zu** Gehen Sie als Headhunter in eigener Sache auf die Suche nach dem zu Ihnen passenden Arbeitsplatz.

Die unausgesprochenen Wünsche der Personalverantwortlichen

Die Chancen, mit einer Initiativbewerbung auf dem Wunscharbeitsplatz zu landen, stehen grundsätzlich gut. Das heißt jedoch nicht, dass es für Sie einfach wird. Bei Initiativbewerbun-

**Überzeugen Sie Personalverantwortliche durch eine
individuelle Ansprache**

gen werden Sie immer mit höherem Einsatz arbeiten müssen
als bei einer Bewerbung auf Stellenanzeigen.

Für Personalverantwortliche bedeutet die Bearbeitung von
Initiativbewerbungen einen größeren Aufwand, der nur in
Kauf genommen wird, wenn es sich um einen vielversprechen-
den Bewerber handelt. Die zusätzliche Arbeit bei der Auswertung von Initiativbewerbungen liegt darin, dass Personalver- **Wecken Sie**
antwortliche neben der Überprüfung des Bewerberprofils von **den Bedarf**
sich aus nach Einsatzmöglichkeiten im Unternehmen suchen **nach Ihrer**
müssen. Zudem müssen der Einstieg eines neuen Mitarbeiters **Arbeitskraft**
und dessen zukünftige Aufgaben mit den Fachabteilungen besprochen werden.

So selbstverständlich es sein sollte, dass ein Initiativbewerber Initative zeigt, so ernüchternd ist die Praxis. Besonderes En-

gagement für die Bewerbung ist nur selten zu sehen. Immer noch gehen in Unternehmen viele Blindbewerbungen ein, die weder vorbereitet sind noch ein auf das Unternehmen zugeschnittenes Profil liefern. Personalverantwortliche reagieren empfindlich, wenn sie mit solch lieblos erstellten Bewerbungsunterlagen konfrontiert werden.

Jedes Engagement zahlt sich für Sie aus

Jedes Engagement, das Sie im Rahmen einer Initiativbewerbung zeigen, wird sich für Sie letztlich auszahlen. Behalten Sie stets im Auge, dass für Personalverantwortliche besonders Ihre persönlichen Fähigkeiten – auch Soft Skills oder soziale Kompetenz genannt – der entscheidende Schlüssel zum Berufserfolg sind.

Die Vor- und Aufbereitung einer Initiativbewerbung sagt für Personalverantwortliche immer auch etwas über die Persönlichkeit des Bewerbers aus. Einem unvorbereiteten Initiativbewerber unterstellen Personalverantwortliche daher automatisch mangelndes Engagement. Sie schließen daraus, dass dieser Bewerber auch am Arbeitsplatz nichts Besonderes leisten wird. Bei einer ersten Einschätzung der Soft Skills lesen Personalverantwortliche gewöhnlich zwischen den Zeilen. Für sie ist die Art und

Mit einem überzeugenden Auftritt soziale Kompetenz vermitteln

Weise, wie eine Initiativbewerbung aufbereitet wird, sehr aussagekräftig. Wer als sein eigener Headhunter agiert, zeigt, dass er über die gefragten persönlichen Fähigkeiten wie »Kundenorientierung«, »Leistungsbereitschaft«, »analytisches Denken«, »Kommunikationsfähigkeit« und »Realitätssinn« verfügt. Die Initiativbewerbung ist aus Sicht der Personalabteilung eine erste Arbeitsprobe. Fällt diese Probe nicht zufrieden stellend aus, hat sich der Bewerber selbst disqualifiziert und keinen Anspruch auf wohlwollende Prüfung seiner Unterlagen.

Zeigen Sie mit der Aufbereitung Ihrer Initiativbewerbung, dass Sie die unausgesprochenen Wünsche der Personalverantwortlichen erfüllen. Machen Sie sich selbst zum Wunschkandidaten, und vermitteln Sie, dass Sie auch an Ihrem späteren Arbeitsplatz Überdurchschnittliches leisten werden.

Initiative zeigen, statt blind bewerben

- Initiativbewerbungen sind keine Blindbewerbungen.
- Bei der Suche nach Ihrer Wunschposition ermöglichen Ihnen Initiativbewerbungen, unabhängig von Stellenangeboten tätig zu werden.
- Initiativbewerbungen setzen immer »Initiative« voraus. Bereiten Sie ein aussagekräftiges Profil vor. Setzen Sie sich mit den Anforderungen der Wunschposition auseinander, und sammeln Sie Informationen über den Wunscharbeitgeber.
- Gehen Sie bei der Initiativbewerbung professionell vor. Nutzen Sie die Vorgehensweise von Headhuntern.
- Machen Sie sich zu Ihrem eigenen Headhunter, indem Sie aktiv auf die Suche nach Ansprechpartnern in Unternehmen gehen, den Einstellungsbedarf ermitteln, Informationen erfragen, einen ersten Profilabgleich vornehmen und Ihre Qualifikation verdichtet übermitteln.
- Die Beschäftigung mit einer Initiativbewerbung bedeutet für Personalverantwortliche Mehrarbeit. Dieser Aufwand wird nur in Kauf genommen, wenn ein Nutzen für das Unternehmen ersichtlich ist.
- Initiativbewerber müssen mit einem höheren Einsatz arbeiten, um Personalverantwortliche zu überzeugen.
- Die Vorgehensweise bei der Initiativbewerbung macht aus Sicht von Personalverantwortlichen auch die soziale Kompetenz von Bewerbern deutlich. Wer keine besonderen Anstrengungen in der Vorbereitung unternimmt, wird auch am Arbeitsplatz nicht besonders engagiert sein.
- Die Initiativbewerbung ist Ihre erste Arbeitsprobe. Zeigen Sie sich engagiert, damit nicht nur Ihre fachliche Qualifikation sondern auch Ihre persönlichen Fähigkeiten sichtbar werden.

2

Wohin soll die Reise gehen?
Berufliche Ziele erkennen

Für Ihre Initiativbewerbung müssen Sie wissen, in welche Richtung Sie sich überhaupt entwickeln möchten. Die Gründe für einen Stellenwechsel können vielfältig sein. Finden Sie heraus, wo Ihre individuellen Vorlieben liegen und welche beruflichen Ziele Sie mit dem Wechsel erreichen wollen.

Eine überzeugende Initiativbewerbung beginnt mit einer intensiven Auseinandersetzung mit Ihren Vorlieben und Stärken. Jeder Stellenwechsel ist eine Chance zur Neuorientierung. Dazu müssen Sie aber wissen, in welche Richtung Sie starten wollen, sonst werden Sie schnell den Überblick verlieren und nach einiger Zeit wieder vor den alten Problemen stehen. Sie möchten schließlich nicht irgendeinen Job, sondern sind auf der Suche nach einer Berufstätigkeit, in die Sie Ihre Kenntnisse und Fähigkeiten möglichst optimal einbringen können.

Nutzen Sie die Chance zur Neuorientierung optimal Stellenwechsler nehmen Initiativbewerbungen oft deshalb in Angriff, weil sie am momentanen Arbeitsplatz Einschränkungen hinnehmen müssen oder ihr Potenzial nicht voll einsetzen können. Dann beginnt die Suche nach dem Wunscharbeitsplatz und Wunscharbeitgeber. Damit Initiativbewerbungen gezielt zum Einsatz kommen können, ist es wichtig, für sich selbst herauszufinden, wo die eigenen Wünsche liegen und welche Kernelemente des eigenen Potenzials besonders zum Tragen kommen sollen.

Sie müssen sich schon jetzt die Fragen stellen, die sich auch Personalverantwortliche bei der Bearbeitung Ihrer Bewerbungsunterlagen stellen werden: Warum will dieser Bewerber die Stelle wechseln? Wo liegen seine besonderen Stärken? In welchem Bereich wäre der Bewerber einsetzbar? Welches Potenzial hat er? Was will er noch weiter erreichen?

Nehmen Sie die Fragen von Personalverantwortlichen vorweg

Mit Ihrer Initiativbewerbung müssen Sie mehr Überzeugungsarbeit leisten als mit einer üblichen Bewerbung. Die Initiative muss von Ihnen kommen: Sie müssen von sich aus Ihr Profil ins Gespräch bringen und darlegen, warum Sie ein Gewinn für das Unternehmen sein könnten. Diese erhöhten Bewerbungsanforderungen werden Sie nur meistern, wenn Sie sich selbst auf den Prüfstand stellen. Eine gründliche Selbstanalyse ist die Voraussetzung, um überzeugend auftreten zu können.

Setzen Sie sich vor der Aufnahme von Bewerbungsaktivitäten intensiv mit Ihrer bisherigen beruflichen Entwicklung auseinander. Gehen Sie dabei in drei Teilschritten vor. Klären Sie, was Sie können, was Sie gern tun und was Sie zukünftig machen wollen:

1. Blicken Sie zurück und halten Sie fest, was Sie bisher gemacht haben.
2. Erkennen Sie Ihre Vorlieben und Stärken.
3. Erstellen Sie aus Ihren Vorlieben und Stärken die Anforderungen an Ihre Wunschposition.

Vorgehen in drei Teilschritten

Der Blick zurück: eine Bestandsaufnahme

Bei Ihrer Initiativbewerbung sollten Sie auf Ihre bisherige Berufstätigkeit zurückgreifen. Vollziehen Sie Ihre berufliche Entwicklung noch einmal nach. Beschränken Sie sich nicht: Die Auswahl geeigneter Erfahrungen und Erfolge für eine Initiativbewerbung findet später statt. Mit der lückenlosen Aufstellung der von Ihnen bewältigten Aufgaben schaffen Sie sich jetzt die

Basis für die spätere inhaltliche Ausgestaltung der einzelnen Bewerbungsschritte.

Führen Sie sich vor Augen, was Sie alles gelernt und gemacht haben. Fangen Sie ganz vorn an: Was haben Sie in Ihrer Einstiegsposition gemacht? Gehen Sie weiter: Welche Tätigkeiten waren in der sich daran anschließenden zweiten Stelle gefragt? Vergessen Sie bei Ihrer Bilanz nicht die Erfahrungen, die Sie außerhalb Ihres eigentlichen Tätigkeitsbereichs gemacht haben. Erinnern Sie sich auch an Urlaubsvertretungen, Sonderaufgaben und Projekte. Vielleicht haben Sie auch ehrenamtlich Tätigkeitsbereiche kennen gelernt, beispielsweise die Organisation von Veranstaltungen.

Erstellen Sie eine Bilanz Ihrer beruflichen Erfahrungen

Als Anhaltspunkte können Ihnen Arbeitsverträge, Projektberichte, Arbeitszeugnisse, Zwischenzeugnisse oder Stellenbeschreibungen dienen. Nehmen Sie sich viel Zeit für die Erarbeitung Ihrer Bestandsaufnahme. Gehen Sie alle Aktivitäten von Ihrem Berufseinstieg bis heute durch, und erstellen Sie eine umfassende Dokumentation. Schematisieren Sie die einzelnen Stationen in Ihrer Bestandsaufnahme in der folgenden Form:

1. Unternehmen, Abteilung
2. Berufsbezeichnung
3. Tätigkeiten im Tagesgeschäft
4. Sonderaufgaben

Identifizieren Sie unterschiedlichste Erfahrungen

Das Beispiel »Bestandsaufnahme eines Account Managers« zeigt Ihnen, wie Sie in der nachfolgenden Übung vorgehen können. Hinter jeder einzelnen Station Ihres bisherigen Berufswegs stehen vielfältige Erfahrungen. Sie haben sich neues Wissen angeeignet, neue Aufgaben übernommen oder sich auf neue Arbeitsabläufe eingestellt. Überlegen Sie sich, was Sie alles gelernt und gemacht haben.

Bestandsaufnahme eines Account Managers

Einstiegsposition: Verkäufer
1. Software GmbH & Co. KG, Abteilung Verkauf
2. Verkäufer
3. Kundenberatung, Angebotserstellung, Reklamationsbearbeitung
4. Kollegenvertretung im Innendienst: Telefonakquise und Abschreibungsberatung

Zweite Position: Sales Associate
1. Systemhaus GmbH, Abteilung Vertrieb
2. Sales Associate
3. Auftragsbearbeitung, Systemanalyse beim Kunden, Koordination von Serviceleistungen, telefonische Kundenberatung
4. Gesprächsleitfaden zur Kundenbindung bei Serviceeinsätzen in abteilungsübergreifender Projektgruppe entwickelt

Dritte Position: Account Manager
1. Systemhaus GmbH, Abteilung Vertrieb
2. Account Manager
3. Durchführung von Marktpotenzialanalysen, Weiterentwicklung der IT-Strategie von Großkunden, Entwicklung der Kundenbeziehungen
4. Bessere Koordination der Abteilungen, Umsetzung des kundenorientierten Qualitätsbegriffs

Ihre Bestandsaufnahme

Arbeiten Sie nun Ihre persönliche Bestandsaufnahme aus. Fangen Sie mit Ihrer Einstiegsposition an, und gehen Sie dann Schritt für Schritt in Ihren beruflichen Positionen weiter.

Ihre Einstiegsposition

1. Unternehmen, Abteilung: . . . .

_____

2. Berufsbezeichnung: . . . .
. _____

3. Tätigkeiten im Tagesgeschäft: . . . .
. _____

4. Sonderaufgaben: . . . .
. _____

Ihre zweite Position

1. Unternehmen, Abteilung: . . . .
. _____

2. Berufsbezeichnung: . . . .
. _____

3. Tätigkeiten im Tagesgeschäft: . . . .
. _____

4. Sonderaufgaben: . . . .
. _____

Ihre jetzige Position

1. Unternehmen, Abteilung: . . . .
. _____

2. Berufsbezeichnung: . . . .
. _____

3. Tätigkeiten im Tagesgeschäft: . . . .
. _____

4. Sonderaufgaben: . . . .
. _____

Ihre Bestandsaufnahme ist die Grundlage für sämtliche Aktivitäten Ihrer Initiativbewerbung. Sie werden später auf die hier gesammelten Fakten zurückgreifen. Es wird Ihnen leichter fallen, Kontakte aufzubauen, Telefongespräche zu führen, Anschreiben zu formulieren, Lebensläufe auszuarbeiten und in telefonischen Interviews zu überzeugen, wenn Sie auf Beispiele aus Ihrer Berufspraxis verweisen können. Für Sie selbst folgt nun die Auswertung der Bestandsaufnahme, um sich Klarheit über Ihre Vorlieben und Stärken zu verschaffen.

Erst kommt die Bestandsaufnahme, dann die Bewerbung

Was will ich? Ihre Vorlieben und Stärken

Wenn Sie sich die »Bestandsaufnahme eines Account Managers« aus unserem Beispiel ansehen, werden einige seiner Vorlieben deutlich. Zu Beginn seiner Berufstätigkeit überwogen bei ihm die reinen Verkaufstätigkeiten; Beratungselemente waren eher unterrepräsentiert. In der zweiten Position als Sales Associate war die Tätigkeit im Vertrieb angesiedelt, der zeitliche Anteil der Beratungsaufgaben hatte stark zugenommen. Hinzu kam die Arbeit an einem Projekt zur Kundenbindung; dies bedeutete für den jetzigen Account Manager den ersten Kontakt zum Marketing. In seiner momentanen Position wird das strategische Arbeiten im Vertriebs- und Marketingbereich betont. Die Abstimmung von Vertriebs- und Marketingmaßnahmen wird eingebunden in die Sonderaufgabe »Bessere Abteilungskoordination«.

Zu den Vorlieben des Account Managers gehören die Kundenberatung, die Weiterentwicklung und Umsetzung von Strategien und die Arbeit am Schnittpunkt von Vertrieb und Marketing. Um diese Vorlieben und Stärken gezielt in einem Berufsfeld einzusetzen, könnte der Account Manager in einer IT-Unternehmensberatung tätig werden, die Position eines Vertriebsleiters übernehmen oder im Key Account arbeiten.

Behalten Sie Ihre Vorlieben im Blick

Genauso werden aus Ihrer Bestandsaufnahme besondere berufliche Interessen abzulesen sein. Verschaffen Sie sich eine

Vorstellung darüber, was Ihnen wichtig ist und welche Aufgaben Sie besonders engagiert erledigen. Finden Sie heraus, was Sie gern machen und in Zukunft vertiefen möchten.

Erkennen Sie Ihre Vorlieben und Stärken

Analysieren Sie Ihre Bestandsaufnahme, und finden Sie Ihre Vorlieben und Stärken heraus. Um Ihnen dabei zu helfen, geben wir Ihnen einige Fragen an die Hand.

- Sind aus freiwillig übernommenen Sonderaufgaben dauerhafte Bestandteile Ihrer täglichen Arbeit geworden?
- Haben Sie sich aktiv um Weiterbildungen in einem bestimmten Aufgabenbereich gekümmert?
- Gehören bestimmte Aufgaben Ihres Arbeitslebens wie das »Salz in die Suppe«?
- Haben Sie schon einmal versucht, aus unregelmäßig übernommenen Tätigkeiten eine Hauptbeschäftigung zu machen?
- Zu welchen Themen werden Sie als vielgefragter Experte in Anspruch genommen?
- An welchen Tätigkeiten machen Sie Ihre schönsten Erfolge fest?
- In welchen Bereichen bringen Sie anderen gern etwas bei?
- Bei welchen Aufgaben vergeht die Zeit wie im Fluge (Flow-Erlebnis)?
- Welche Arbeitsergebnisse verteidigen Sie vehement gegen Widerstände?
- Welche Ihrer Tätigkeiten könnten Sie sich am ehesten als ehrenamtliche Beschäftigung vorstellen?

Wunschposition herausfinden

Überlegen Sie sich genau, was Sie mit Ihrem Stellenwechsel beabsichtigen. Es ist normal, dass die Motive für einen Wechsel vielschichtig sind. In der Regel geht es nicht nur um eine neue Berufsbezeichnung oder ein höheres Gehalt. Für die einen steht der Wunsch nach einem neuen Kollegenkreis im Vordergrund, andere möchten die Routine am momentanen Arbeitsplatz durchbrechen.

Machen Sie sich klar, welche Tätigkeiten Sie in Zukunft intensiver ausüben möchten, auf welche Sie verzichten wollen und welche neuen Aufgaben Sie gern übernehmen würden. **Was erwarten Sie vom neuen Arbeitsplatz?** Nur wenn Sie von einzelnen Tätigkeiten ausgehen, werden Sie es schaffen, Ihre Wunschposition inhaltlich zu definieren. Es reicht nicht, sich an üblichen Karriereleitern zu orientieren. Die Anforderungen, die an Sie unter der gleichen Berufsbezeichnung gestellt werden, sind zu vielfältig. Finden Sie heraus, was Sie von Ihrem nächsten Arbeitsplatz erwarten: Erkennen Sie Ihre geheimen Sehnsüchte.

Geheime Sehnsüchte

Übung

- Streben Sie viel Freiraum für eigene Entscheidungen an?
- Können Sie sich um parallel laufende Aufgaben kümmern?
- Sehen Sie sich eher als Spezialisten oder als Allround-Talent?
- Wollen Sie im Ausland tätig werden?
- Stehen interessante berufliche Aufgaben für Sie im Vordergrund oder ein möglichst hohes Gehalt?
- Sehen Sie sich als Vermittler zwischen der Geschäftsleitung und den Mitarbeitern?

- Arbeiten Sie lieber konzeptionell und strategisch oder spezialisiert?
- Bevorzugen Sie ein eher hektisches oder beschauliches Arbeitsumfeld?
- Möchten Sie einen Teil Ihrer Aufgaben lieber zu Hause erledigen?
- Arbeiten Sie gern schnell und unter hohem Erfolgsdruck?
- Sind Sie karriereorientiert?
- Beschäftigen Sie sich bevorzugt mit langfristigen Projekten, oder brauchen Sie die schnelle Rückmeldung?
- Möchten Sie sich ständig auf neue Aufgaben einstellen, oder sind Ihnen Routineaufgaben lieber?
- Macht es Ihnen Spaß, anderen etwas beizubringen?
- Gefällt es Ihnen, unterwegs zu sein, oder möchten Sie lieber an einem Ort bleiben?
- Ist für Sie eine hohe Identifikation mit Ihrem Beruf und/oder Ihrer Firma wichtig?
- Wünschen Sie sich ein bestimmtes Firmenimage (innovativ, traditionell, dynamisch, ökologisch, kreativ)?
- Streben Sie Personalverantwortung an?
- Möchten Sie stets mit den gleichen Leuten zusammenarbeiten, oder bevorzugen Sie wechselnde Arbeitsgruppen?

Formulieren Sie Ihre Erwartungen konkret   Wenn Sie die aufgeführten Fragen für sich beantwortet haben, sind Ihnen die Wünsche, die Sie an Ihre neue Position stellen, sicherlich klarer geworden. Sie können nun bei persönlichen und telefonischen Kontakten gezielt Ihre Erwartungen artikulieren und Ihre Vorstellungen mit denen der Unternehmensseite abgleichen.

Mit der Vorarbeit aus diesem Kapitel sind Sie einen wichtigen Schritt auf dem Weg zum überzeugenden Initiativbewerber weiter gekommen. Nach Ihrer fundierten Selbsteinschätzung wissen Sie nun, womit Sie sich gern beschäftigen und wie Ihre Wunschposition aussehen muss.

Wohin soll die Reise gehen?
Berufliche Ziele erkennen

Im Blick

- Initiativbewerbungen sind eine Chance zum beruflichen Neuanfang. Bereiten Sie Ihren Wechsel durch eine Standortbestimmung vor.
- Sie müssen mit einer Initiativbewerbung mehr Überzeugungsarbeit leisten als mit einer üblichen Bewerbung. Analysieren Sie Ihre Stärken, um sich als Gewinn für das Unternehmen präsentieren zu können.
- Gehen Sie alle Aktivitäten von Ihrem Berufseinstieg bis heute durch. Dokumentieren Sie Ihre Tätigkeiten und Erfahrungen in einer Bestandsaufnahme.
- Führen Sie Ihre Bestandsaufnahme umfassend durch. Sichten Sie Arbeitsverträge, Arbeitszeugnisse, Projektberichte und Stellenbeschreibungen.
- Reflektieren Sie, was Sie besonders gern getan haben, welche Ziele Sie mit anderen Menschen erreicht haben, wann Sie um Rat gefragt wurden und an welche Erfolge Sie sich erinnern. So erkennen Sie Ihre Stärken und Vorlieben.
- Die Bestandsaufnahme wird Ihnen bei Ihren späteren Bewerbungsaktivitäten helfen. Sie ist das Fundament, um gezielt Kontakte zu knüpfen, Telefongespräche zu führen, Anschreiben zu formulieren, Lebensläufe zu erstellen und in telefonischen Interviews zu überzeugen.
- Erarbeiten Sie sich eine Zukunftsperspektive. Definieren Sie Ihre Ansprüche an Ihre Wunschposition.

3

Der Wunscharbeitgeber

Bevor Sie Ihre Initiativbewerbungen versenden können, müssen Sie wissen, an wen. Wir erläutern Ihnen, wie Sie potenzielle Arbeitgeber ausfindig machen können und weitere Informationen über das von Ihnen anvisierte Unternehmen erhalten. Bevor Sie einzelne Arbeitgeber anpeilen, sollten Sie die Grundsatzentscheidung der für Sie richtigen Unternehmensform treffen.

Finden Sie heraus, welche Unternehmensform Ihnen liegt Machen Sie sich Gedanken über den richtigen Arbeitgeber, damit Sie mit Ihrer Initiativbewerbung Ihre berufliche Entwicklung gezielt vorantreiben können. Nicht jedes Unternehmen wird für Sie geeignet sein. Zunächst sollten Sie Präferenzen hinsichtlich der Unternehmensform festlegen. Es macht einen Unterschied, ob Sie zukünftig in einem Konzern oder in einem mittelständischen Unternehmen arbeiten werden. Auch die Entscheidung zwischen freier Wirtschaft und öffentlichem Dienst hat weitreichende Konsequenzen für Ihren Berufsalltag. Bevor Sie sich über einzelne Unternehmen informieren, sollten Sie entscheiden, welche Unternehmensform Ihnen am meisten liegt.

Es kommt auch auf die (Unternehmens-)Form an

Wenn Sie einen Stellenwechsel beabsichtigen, müssen Sie immer Ihre Möglichkeiten in der jeweiligen Unternehmensform im Blick behalten. Konzerne, mittelständische Unternehmen,

Start-ups und öffentlicher Dienst unterscheiden sich deutlich in ihren Arbeitsabläufen, der hierarchischen Strukturierung, den Entscheidungswegen, den Karriereoptionen und den Gestaltungsspielräumen.

Konzerne

Konzerne bieten oft vielfältige Einsatzmöglichkeiten, die von Tätigkeiten im Ausland bis zur Übernahme von Verantwortung in Niederlassungen reichen. Der Wechsel von einem Unternehmensbereich in einen anderen ist möglich. Generell sind die Aufstiegswege und Karriereoptionen in Konzernen allein wegen ihrer Größe zahlreich. Konzerne haben eine eigene Abteilung für Personalentwicklung, die sich um den eigenen Führungsnachwuchs kümmert, Weiterbildungsprogramme bereitstellt und den Wechsel zu Konzerntöchtern oder in Auslandsniederlassungen koordiniert.

In Konzernen finden Sie zahlreiche Aufstiegswege

Leistungsfähige Mitarbeiter werden von Konzernen ständig gesucht. Stellenwechsler, die über einige Jahre Berufserfahrung verfügen, haben mit einer überzeugenden Initiativbewerbung gute Chancen, Gehör zu finden und den Karrieresprung ins Großunternehmen zu schaffen.

Leistungsfähige Mitarbeiter werden ständig gesucht

Da die Entscheidungsprozesse in Konzernen recht lange dauern, lassen sich eigene Ideen nicht immer so leicht wie gewünscht umsetzen. Wer hier arbeitet, braucht ein gutes Durchhaltevermögen. Die einzelnen Arbeitsbereiche sind oft scharf voneinander abgegrenzt. Es fällt schwer, Innovationen außerhalb des Dienstwegs voranzutreiben. Berührungspunkte zu anderen Abteilungen ergeben sich häufig nur in Projektgruppen.

Ein gutes Selbstmarketing ist in Konzernen unerlässlich; die interne Konkurrenz ist groß, und es ist nicht einfach, aus der Anonymität der Masse herauszutreten.

Dem gegenüber stehen gute Weiterbildungs- und Entwicklungsmöglichkeiten. Eine systematische Personalentwicklung und Unterstützung beim Erreichen selbst gesteckter beruflicher Ziele ist kennzeichnend für Großunternehmen. Die Chancen, interne Karrieresprünge zu schaffen, sind – entsprechendes Engagement vorausgesetzt – groß. Auch die guten Sozial- und Sonderleistungen sowie ein überdurchschnittlicher Verdienst sind nicht zu verachten und sprechen für Konzerne.

Gute Weiterbildung gehört dazu

Mittelständische Unternehmen

Es wird nicht nur vom Mittelstand zum Konzern, sondern auch vom Großunternehmen zum mittelständischen Unternehmen gewechselt. Da eine eigene Personalentwicklung in mittelständischen Unternehmen noch lange nicht selbstverständlich ist, sind die Anforderungen an die Eigeninitiative der Mitarbeiter höher: Systematische Förderprogramme und konsequente Karrierepläne fehlen in der Regel. Sonderleistungen sind oft nicht festgelegt, sondern müssen vom Mitarbeiter ausgehandelt werden. Die Arbeitsbelastung kann im Mittelstand sehr hoch sein. Einer internen Karriere steht oft die nur geringe Zahl an Führungspositionen im Weg.

Hier übernehmen Sie schnell Verantwortung

Ein Wechsel in den Mittelstand kann aber dennoch interessant sein, da Mitarbeiter dort umfangreiche Gestaltungsmöglichkeiten vorfinden. Es wird schnell Verantwortung übernommen, und die Trennung der einzelnen Unternehmensbereiche ist nicht so ausgeprägt wie in Konzernen. Bei komplexen Aufgaben muss nicht so arbeitspolitisch vorgegangen werden wie in Großunternehmen. Die Berührungsängste zwischen den Abteilungen sind weniger stark ausgeprägt. Damit lassen sich neue Entwicklungen schneller vorantreiben. Rückmeldungen über den Erfolg der Arbeit sind direkter. Im Mittelstand sind Macherqualitäten gefragt.

Start-ups

Die Euphorie, mit der Start-ups als moderne und innovative Arbeitgeber gesehen wurden, ist verflogen. Aktienoptionen für Mitarbeiter sind nicht länger der Königsweg zur Mitarbeitermotivation. Der Traum vieler Mitarbeiter, mit viel Einsatz exorbitante Gehälter erzielen zu können, ist geplatzt. Dennoch wäre es falsch, in Start-ups grundsätzlich uninteressante Arbeitgeber zu sehen.

Das Besondere an Start-ups ist das ausgeprägte unternehmerische Denken: Individuelle Leistung wird groß geschrieben. **Reizt Sie** Die Möglichkeiten, direkt mit den anderen Unternehmensbe- **das Start-** reichen zusammenzuarbeiten, sind vielfältig. Entscheidungen **up-Feeling?** werden nicht vertagt, sondern getroffen. Toppositionen sind schneller zu erreichen, und das besondere Start-up-Feeling ist für viele Mitarbeiter ein zusätzlicher Anreiz. Eine Portion Risikobereitschaft gehört schon dazu. Die Kehrseite der großen Verantwortungsspielräume ist, dass die Mitarbeiter von wirtschaftlichen Misserfolgen selbst betroffen sind. Bei schlechter Geschäftsentwicklung leiden die variablen Gehaltsbestandteile. Hinzu kommt, dass das Arbeitspensum sehr hoch gesteckt ist. Ein Privatleben findet nur eingeschränkt statt.

Die Gimmicks der New Economy wie Massagen am Arbeitsplatz, kostenlose Pizzalieferung oder günstige Fitnesskurse **Zusatzleis-** hatten Signalwirkung für die Old Economy: Manche Zusatz- **tungen für** leistung ist übernommen worden, um auch dort für eine bes- **eine gute** sere Arbeitsatmosphäre zu sorgen. Der bereitstehende Korb **Arbeitsat-** mit frischem Obst darf Sie aber nicht dazu veranlassen, ein **mosphäre** Grundgehalt unter dem Existenzminimum zu akzeptieren.

Öffentlicher Dienst

Die Elemente der Personalentwicklung im öffentlichen Dienst lauten: Laufbahn und Dienstalter. Beginnend mit dem Vorbereitungsdienst und endend mit der Pensionierung ist der berufliche Werdegang weitestgehend vorherbestimmt. Es gibt nur wenig individuelle Gestaltungsspielräume. Der öffentliche Dienst akzeptiert erst langsam die Idee der leistungsbezogenen Elemente. Beispielsweise gibt es vereinzelt interne Verbesserungswettbewerbe mit der Aussicht auf eine Prämie. Generell gibt es aber wenig Möglichkeiten, mit besonderem Engagement zu punkten. Wer auf Innovation und Veränderung setzt,

Verlässlichkeit ist ein wichtiger Wert dürfte sich im öffentlichen Dienst schlecht aufgehoben fühlen.

Gut planbare Arbeitsbelastungen und feste Arbeitszeiten sind für manche Bewerber ein Wert an sich. Es gibt immer wieder Mitarbeiter, die froh sind, den Wechsel vom hektischen Berufsalltag im Kleinunternehmen zum überschaubaren Arbeitspensum im öffentlichen Dienst geschafft zu haben. Durch das System der Gehaltszuschläge lässt sich in höheren Positionen durchaus gut verdienen, wenn auch das Gehalt unter dem vergleichbarer Positionen in der freien Wirtschaft liegt.

Auf der Suche nach dem passenden Unternehmen

Nach den strategischen Überlegungen, in welcher Unternehmensform Sie Ihre Karriere fortsetzen wollen, müssen Sie sich

Adressaten identifizieren und Informationen sammeln auf die Suche nach geeigneten Arbeitgebern machen. Bevor wir Ihnen erläutern, wie Sie einen Kontakt aufbauen, am Telefon überzeugen und mit der Bewerbungsmappe punkten, brauchen Sie Adressaten für Ihre Initiativbewerbungen. Begeben Sie sich auf die Suche nach den zu Ihren Vorstellungen passenden Unternehmen. Sie können folgende Suchwege nutzen:

- im Internet recherchieren;
- Printmedien nutzen;
- Messen und Kongresse besuchen.

Im Internet recherchieren

Das Internet ist das optimale Medium, um sich schnell einen Überblick über interessante Arbeitgeber zu verschaffen und tiefergehende Recherchen zu ausgewählten Unternehmen durchzuführen. Sie können die Homepages der Unternehmen anklicken, auf Jobbörsen zugreifen, Online-Stellenmärkte der Zeitungen auswerten und mithilfe von Suchmaschinen Hintergrundinformationen sammeln.

Vielfältige Recherchemöglichkeiten

Homepages der Unternehmen: Auf den Homepages der Unternehmen können Sie sich über Bewerbungsmodalitäten informieren. Sie lernen die Geschäftsfelder des Unternehmens kennen und erfahren mehr über regionale Einsatzmöglichkeiten. Viele Unternehmen nutzen ihre Homepages, um Personalmarketing zu betreiben: Sie werden über besonders gefragte Bewerbergruppen informiert. Für erste Kontakte sind Ansprechpartner aus den Personalabteilungen aufgeführt, und Sie werden darauf hingewiesen, in welcher Form eine Bewerbung erfolgen sollte, beispielsweise als Kurzbewerbung oder als vollständige Bewerbung, über das Internet oder lieber per Post. Oft finden Sie auch Telefonnummern, unter denen Sie nähere Informationen einholen können. Dieses Angebot sollten Sie auf jeden Fall nutzen und sich mit einem Telefongespräch Klarheit darüber verschaffen, ob Sie wirklich bei diesem Unternehmen tätig werden möchten.

Stellenangebote auf den Homepages nutzen

Es lohnt sich, die Stellenangebote auf den Homepages der Unternehmen anzuklicken. Selbst wenn Ihre Wunschposition nicht dabei ist, erhalten Sie einen Eindruck davon, welche besonderen Anforderungen, beispielsweise im Soft-Skills- oder EDV-Bereich, an Bewerber gestellt werden. Aus der Zahl der ausgeschriebenen Stellen lassen sich zudem Rückschlüsse ziehen, ob das Unternehmen gerade einen sehr hohen Einstellungsbedarf hat oder ob zurzeit nur wenig Interesse an neuen Mitarbeitern besteht.

Internetrecherchen bringen Sie weiter

Sie finden die Homepages der Unternehmen in der Regel unter ihrer Firmenbezeichnung im Internet, beispielsweise die Puma AG unter *www.puma.com* oder Ikea unter *www.ikea.de.* Falls Sie

So finden Sie das Unternehmen so nicht finden können, sollten Sie auf Such-
die Unter- maschinen zurückgreifen. Gut geeignet sind unter anderem
nehmen *www.google.de, www.yahoo.de* oder *www.lycos.de.* Diese Suchmaschinen werden Ihnen Internetadressen vorschlagen, unter denen Sie fündig werden.

Jobbörsen: Genauso können Sie für Ihre Initiativbewerbung Jobbörsen nutzen. Das »elektronische Arbeitsamt« hat 24 Stunden am Tag – auch am Wochenende – für Sie geöffnet. Bei der Suche nach dem Wunscharbeitgeber müssen Sie allerdings einen Umweg machen. Wählen Sie in den Suchmasken der Job-börsen eine Region aus, die für Sie infrage kommt, geben Sie Ihre Branche an und klicken Sie auf einen Tätigkeitsbereich, der Sie interessieren könnte. Sie erhalten dann Stellenanzeigen von Unternehmen, an die Sie sich mit Ihrer Initiativbewerbung wenden können. Hat das Unternehmen die Stellenanzeige selbst geschaltet, werden Sie erste Informationen gewinnen können. Beispielsweise wie lange das Unternehmen schon auf dem Markt ist, welche Produkte und Dienstleistungen es vertreibt, wo es Niederlassungen hat und ob es momentan expandiert. Fühlen Sie sich von den ersten Informationen angesprochen, können Sie zur Unternehmenshomepage weiterklicken. **Erste Informationen gewinnen**

Hier eine Auswahl von Jobbörsen, die Ihnen weiterhelfen werden: *www.jopilot.de, www.stepstone.de, www.stellenanzeigen.de, www.jobware.de, www.jobscout24.de*

Online-Stellenmärkte der Zeitungen: Bei den Online-Stellenmärkten der Zeitungen gehen Sie ähnlich vor wie bei den Jobbörsen. Sichten Sie Anzeigen, selbst wenn diese nicht Ihrer Wunschposition entsprechen, und achten Sie auf das Layout der Stellenausschreibungen und die Selbstdarstellung des Unternehmens. Große Anzeigen sind immer ein Personalmarketing-Instrument und sollen das Interesse an kompetenten Mitarbeitern signalisieren. Sammelanzeigen deuten auf einen höheren Personalbedarf hin. Vielleicht fühlen Sie sich aber durch einen bestimmten Slogan besonders angesprochen. Manchmal verbirgt sich der Traumarbeitgeber hinter einer auf den ersten Blick eher unauffälligen Anzeige. **Zeitungen im Internet**

Ist Ihnen ein Unternehmen positiv aufgefallen, müssen Sie natürlich weiterrecherchieren. Sie haben aber zumindest potenzielle Adressaten für Ihre Initiativbewerbung herausgefunden.

Suchmaschinen: Die bereits angesprochenen Suchmaschinen können Ihnen behilflich sein, wenn Sie Hintergrundinformationen über ein Unternehmen gewinnen wollen. Sie geben als Suchbegriff den Namen des Unternehmens ein und werden dann auf Presseberichte, Unternehmensdarstellungen oder Produktneuheiten hingewiesen. So können Sie mehr über den für Sie interessanten Arbeitgeber erfahren.

So gewinnen Sie weitere Informationen

Printmedien nutzen

Allen Beschwörungsformeln der New Economy zum Trotz haben Printmedien nach wie vor ihren Stellenwert bei der Fahndung nach dem Wunscharbeitgeber. Binden Sie Zeitungen und Zeitschriften in Ihre Sondierungsbemühungen mit ein. Auch Nachschlagewerke können Ihnen nützlich sein.

Zeitungen und Zeitschriften: Regionale Zeitungen haben den Vorteil, dass Sie auf Arbeitgebersuche in Ihrem lokalen Umfeld gehen können. Ansonsten ergeben sich die gleichen Chancen wie bei den Online-Stellenmärkten der Zeitungen. Sie werden über das Anzeigenlayout auf einzelne, für Sie eventuell interessante Unternehmen stoßen. Da die Selbstdarstellung immer von der Unternehmenskultur geprägt wird, können Sie aus dem Erscheinungsbild der Anzeigen schließen, ob sich das Unternehmen besonders konservativ, traditionsbewusst und bodenständig gibt oder sich eher als modern, dynamisch und flexibel versteht. Vertiefende Informationen sind natürlich notwendig, mit einem Unternehmensnamen in der Hand können Sie aber gezielt weiterforschen.

Stellenanzeigen spiegeln die Unternehmenskultur wider

Nutzen Sie bei Ihrer Suche auch Fachmagazine, die mittlerweile für fast alle Branchen monatlich oder quartalsweise erscheinen. Sie finden dort Unternehmensprofile, Berichte über innovative Unternehmen und deren Produkte oder Dienstleistungen und Statements von Unternehmensvertretern. Ab und zu stoßen Sie auf Untersuchungen über die Rekrutierungsstrategien, die Personalentwicklung oder den zukünftigen Mitarbeiterbedarf.

Nachschlagewerke: Sie finden in Nachschlagewerken hauptsächlich Informationen über größere Unternehmen. Diese haben ständigen Bedarf an qualifizierten Mitarbeitern. Besonders gefragt sind Bewerber, die bereits über fundierte Berufserfahrung verfügen. Nachschlagewerke müssen Sie nicht kaufen; Sie finden sie in Bibliotheken und Berufsinformationszentren. Ist parallel zum Nachschlagewerk eine CD-ROM erschienen, erleichtert das Ihre Recherche. Nützliche Nachschlagewerke sind:

Nachschlagewerke in Bibliotheken und BIZ

- karriereführer finanzdienstleistungen, Schirmer Verlag, Köln (regelmäßige Aktualisierung), *www.karrierefuehrer.de*
- karriereführer informationstechnologie, Schirmer Verlag, Köln (regelmäßige Aktualisierung), *www.karrierefuehrer.de*
- karriereführer life sciences, Schirmer Verlag, Köln (regelmäßige Aktualisierung), *www.karrierefuehrer.de*
- karriereführer bauingenieure, Schirmer Verlag, Köln (regelmäßige Aktualisierung), *www.karrierefuehrer.de*
- Firmendatenbank. Auskunft-CD (CD-ROM), Hoppenstedt Verlag, Darmstadt (halbjährliche Aktualisierung), *www.hoppenstedt.de*
- Handbuch der Großunternehmen (CD-ROM), Hoppenstedt Verlag, Darmstadt (halbjährliche Aktualisierung), *www.hoppenstedt.de*
- Mittelständische Unternehmen. Ausgabe 2002 (CD-ROM), Hoppenstedt Verlag, Darmstadt (erscheint jährlich), *www.hoppenstedt.de*
- Verbände, Behörden, Organisationen der Wirtschaft (CD-ROM), Hoppenstedt Verlag, Darmstadt (regelmäßige Aktualisierung), *www.hoppenstedt.de*

Regelmäßig aktualisierte Daten

- Klaus Henning, Jörg. E. Staufenbiel, Berufsplanung für Ingenieure Start 2002, Staufenbiel Institut, Köln (regelmäßige Aktualisierung), *www.staufenbiel.de*
- Jörg. E. Staufenbiel, Berufsplanung für den Management-Nachwuchs Start 2002, Staufenbiel Institut, Köln (regelmäßige Aktualisierung), *www.staufenbiel.de*

Messen und Kongresse besuchen

Führen Sie Gespräche von Kollege zu Kollege Der Besuch von Messen und Kongressen ist ein guter Weg, um ein persönliches Gespräch mit Unternehmensvertretern zu führen. Sie sollten sich dabei nicht auf das Einsammeln von Informationsmaterial beschränken, sondern auch den direkten Kontakt suchen. Gerade auf Fachmessen lassen sich Gespräche von Kollege zu Kollege führen. Auf diese Weise erhalten Sie jenseits der Hochglanzbroschüren aus erster Hand Informationen über das Arbeitsklima. Sie können in Erfahrung bringen, ob viele Überstunden die Regel sind, die Einstellung neuer Mitarbeiter geplant ist oder der hohe Auftragsbestand weiter anhalten wird.

Nutzen Sie die Möglichkeit, sich abseits der gängigen Bewerbungsaktivitäten Informationen zu verschaffen. Erfragen Sie, ob Ihr Wunscharbeitgeber in der Praxis hält, was er öffentlichkeitswirksam in den Medien und Stellenanzeigen verspricht.

Aktuelle Messetermine im Internet Aktuelle Messetermine können Sie mithilfe des Internets in Erfahrung bringen. Die Jobbörsen *www.jobpilot.de, www.stepstone.de* und *www.stellenanzeigen.de* haben hierzu aktuelle Datenbanken. Sie werden auch unter *www.stern.de* oder *www.staufenbiel.de* fündig.

Der Wunscharbeitgeber

- Sammeln Sie so viele Informationen über potenzielle Arbeitgeber wie möglich. Mit Ihrer Initiativbewerbung beabsichtigen Sie schließlich eine qualitative Verbesserung Ihres Arbeitsumfelds und/oder Ihrer Arbeitsbedingungen.
- Berücksichtigen Sie die Vor- und Nachteile der unterschiedlichen Unternehmensformen.
- Konzerne bieten vielfältige Einsatz- und Aufstiegsmöglichkeiten, sind allerdings durch lange Entscheidungswege gekennzeichnet.
- Im Mittelstand lassen sich Innovationen schneller umsetzen; dafür sind die Anforderungen an das berufliche Engagement in der Regel höher.
- Start-ups sind besonders vom unternehmerischen Denken geprägt. Die Verdienstmöglichkeiten sind eng an die Geschäftsentwicklung gekoppelt. Die Arbeitsbelastung ist meistens sehr hoch.
- Der öffentliche Dienst bietet wenig Raum für Eigeninitiative. Dafür ist das Arbeitspensum überschaubar und der Arbeitsplatz ist relativ sicher.
- Bei der Suche nach einzelnen Arbeitgebern können Sie im Internet recherchieren, Printmedien nutzen sowie Messen und Kongresse besuchen.
- Informationen zu Unternehmen finden Sie auf deren Homepages, in Jobbörsen, den Online-Stellenmärkten der Zeitungen und über Suchmaschinen.
- Printmedien wie Zeitungen und Zeitschriften bieten Ihnen Hintergrundinformationen, beispielsweise zur Geschäftsentwicklung und zu Beschäftigungsaussichten.
- Nachschlagewerke helfen Ihnen bei der systematischen Arbeitgebersuche.
- Auf Messen und Kongressen können Sie Kollegengespräche führen und einen Blick hinter die Kulissen werfen.

4

Networking: die Fühler ausstrecken

Der Aufbau neuer und das Auffrischen bestehender Kontakte ist ein vielversprechender Weg, um seine Wunschposition zu erreichen. Persönliche Kontakte heben Initiativbewerber aus der Anonymität heraus. Zudem lassen sich auf diese Weise Informationen über das neue Unternehmen in Erfahrung bringen, die sonst nicht zugänglich wären. Wir zeigen Ihnen, wie Sie Networking – den gezielten Aufbau von Kontakten – für Ihre Bewerbungsaktivitäten nutzen können.

Sie lernen im Beruf und auch privat immer wieder neue Menschen kennen. Es lohnt sich, diese Kontakte zu pflegen und auszubauen, um sich eine Vielzahl persönlicher Beziehungen – ein Netzwerk – zu schaffen. Dieses Netzwerk ermöglicht Ihnen, fachlich auf dem Laufenden zu bleiben, auf neue Ideen zu kommen, über die eigene Arbeit zu reflektieren, die Arbeitsweise anderer kennen zu lernen und Informationen einzuholen, die Ihnen sonst verschlossen bleiben würden.

Bauen Sie Kontakte auf und pflegen Sie sie Den Aufbau von Kontakten sollten Sie nicht dem Zufall überlassen, sondern es aktiv anpacken, innerhalb und außerhalb des eigenen Unternehmens für Sie relevante Gesprächspartner zu finden. Gehen Sie in die Offensive, und sprechen Sie andere an, beispielsweise auf Tagungen, Messen und Fortbildungsveranstaltungen. Mit der Zeit wird Ihr Netzwerk persönlicher Beziehungen immer größer werden. Wenn Sie Kontakte pflegen und anderen auch einmal einen Gefallen tun, können Sie daraus Nutzen für Ihre Initiativbewerbung ziehen.

Die Neujustierung
von Karrierekontakten

Ein Logistikmanager kam zu uns, um über seine Karrieremöglichkeiten zu sprechen. Mittelfristig strebte er den Sprung auf eine Position mit umfassender Verantwortung an. Ihm war klar, dass er das Instrument Initiativbewerbung gezielt einsetzen müsste, um seine Wunschposition zu erreichen.

Der erste Schritt, die Bestandsaufnahme seiner bisherigen Tätigkeiten und Erfolge, verlief sehr vielversprechend. Wir konnten mit ihm zusammen ein interessantes Profil ausarbeiten. Da der Bewerber nicht unter dem Druck stand, wechseln zu müssen, empfahlen wir ihm, strategisch Kontakte aufzubauen, die er für spätere Bewerbungsaktivitäten nutzen könnte.

Unser Kunde zuckte leicht zusammen und wies darauf hin, dass er beruflich stets stark eingespannt wäre und es ihm deshalb schwer fallen würde, Karrierekontakte aufzubauen. Um ihm zu verdeutlichen, dass er mit Sicherheit auf ein bestehendes Netzwerk zurückgreifen könne, gingen wir mit ihm die verschiedenen Berührungspunkte durch, die seine Arbeit mit sich brachte. Schnell wurde deutlich, dass der Logistikmanager bereits über vielfältige Kontakte verfügte. Er hatte einen guten Draht zu den Lieferanten, zu Kollegen in anderen Unternehmensbereichen und kannte von Fachmessen her Logistikexperten aus unterschiedlichen Firmen. Nach einigem Grübeln erinnerte er sich auch an ehemalige Mitstudenten, die inzwischen Karriere gemacht hatten und zu denen er gelegentlich noch private Beziehungen pflegte.

All diese Verbindungen waren für seine Initiativbewerbung einsetzbar, wenn auch einige erst wieder aufgefrischt werden mussten. Wir empfahlen dem Logistikmanager, zunächst sein Netzwerk zu aktivieren und die Beziehungen zu potenziellen Ansprechpartnern zu vertiefen. Der lockere Austausch von Informationen abseits von Bewerbungsaktivitäten sollte zunächst im Vordergrund stehen. Dadurch ergaben sich für unseren Kunden wiederum weitere, neue Kontakte. Als er später in die aktive Bewerbungsphase einstieg, konnte er bereits auf Fürsprecher in seinem Wunschunternehmen bauen.

Fazit: Viele Stellenwechsler haben Schwierigkeiten, bestehende Kontakte für Bewerbungsaktivitäten zu nutzen. Sie wollen die guten Beziehungen nicht instrumentalisieren. Dies sollte auch tatsächlich nicht im Vordergrund stehen. Ein Netzwerk lässt sich besser durch Interesse an bestimmten Themen, Entwicklungen und Trends aufbauen. Die Pflege der Kontakte sollte auf Gegenseitigkeit beruhen. Dann lassen sich auch Wechselabsichten unverkrampft ins Gespräch integrieren.

Knüpfen Sie ein Netzwerk

Der Sprung auf die Wunschposition Vielen Stellenwechslern geht es mit ihrer Initiativbewerbung darum, den Sprung auf die Wunschposition zu schaffen. Mit einigen Jahren Berufserfahrung im Rücken ist man ein durchaus gefragter Arbeitnehmer. Die erste Orientierung im Berufsleben ist gelungen. Nun sollen spezielle Wünsche an den Arbeitsplatz realisiert werden.

Wer rechtzeitig beginnt, seinen Wechsel auf die Wunsch-position vorzubereiten, hat gute Chancen, seine Ziele zu errei-chen. In diese mittelfristige Strategie sollten unbedingt per-sönliche Kontakte zu anderen Unternehmen eingebunden werden. Im Unterschied zum klassischen Bewerbungsverfah-ren, in dem man vorrangig auf die von der Personalabteilung vorgegebenen Anforderungen reagieren muss, können Sie durch gezieltes Networking Ihre eigenen Wünsche in den Vor-dergrund stellen.

Persönliche Kontakte gehören in die mittel-fristige Bewerbungs-strategie

Der Kreis möglicher Ansprechpartner aufseiten der Unter-nehmen wird für Sie so zunehmend größer. Sie müssen sich nicht auf Personalverantwortliche beschränken, sondern kön-nen sich auch an Vertreter der Fachabteilungen wenden. Spie-len Sie den Ablauf einer Stellenbesetzung gedanklich durch: Als Erstes wird der Bedarf nach einem neuen Mitarbeiter in der Fachabteilung festgestellt, beispielsweise weil die Perso-naldecke zu dünn ist, hohe Auftragsbestände vorliegen oder ein besonderer Spezialist gebraucht wird. Die Wünsche nach einem neuen Mitarbeiter werden dann an die Personalabtei-lung weitergeleitet, die zusammen mit der Geschäftsleitung festlegt, ob die für eine Einstellung notwendigen finanziellen Mittel zur Verfügung stehen. Gibt die Geschäftsleitung ihr »Okay«, wird die Personalabteilung zusammen mit der Fach-abteilung ein Anforderungsprofil definieren. Zu diesem Zeit-punkt geht es noch vorrangig um die fachlichen Kenntnisse. Wenn das Fachprofil steht, wird die Personalabteilung analog zur Unternehmenskultur noch die notwendigen persönlichen Fähigkeiten in das Profil einbringen. Dieses Gesamtprofil wird einer Agentur übermittelt, die daraus eine Stellenaus-schreibung macht, die dann in Printmedien oder im Internet veröffentlicht wird.

Wer legt das Anforde-rungsprofil einer Stelle fest?

Der Zeitraum von der ersten Bedarfsmeldung bis zur veröf-fentlichten Stellenausschreibung kann recht lang sein und bie-tet Ihnen als Initiativbewerber vielfältige Möglichkeiten, sich ins Gespräch zu bringen, bevor andere Bewerber davon erfahren, dass überhaupt eine Stelle zu besetzen ist. Da Vertreter der Fachabteilung üblicherweise die Ersten sind, die Personalbedarf spüren, lohnt es sich, ein Netzwerk aus Informanten aufzubauen.

Bringen Sie sich ins Gespräch

Sie erfahren, wie die momentane Personalpolitik des Unternehmens aussieht, wann Umstrukturierungen anstehen, ob sich ein Mitarbeiter aus der Fachabteilung mit Abwanderungsgedanken trägt oder ob eine Ausweitung der Geschäftstätigkeit geplant ist. Neben diesen Informationen, die Ihnen Möglichkeiten zum Arbeitgeberwechsel signalisieren, erhalten Sie durch Ihr Netzwerk auch Hinweise auf Trends in Ihrer Branche. Sie können rechtzeitig auf neue Anforderungen reagieren und eventuell Ihr Profil ausbauen.

Ihre Kontakte im Netzwerk werden sich rasch multiplizieren, und schon bald werden Sie einen umfangreichen Fundus an Ansprechpartnern für Ihre Bewerbungsaktivitäten aufgebaut haben. Machen Sie den ersten Schritt, überlegen Sie sich jetzt, welche Kontakte Sie für Ihr Karriere-Networking intensivieren und welche Sie neu knüpfen sollten.

Die richtigen Verbindungen

Wie können Sie nun bei der konkreten Aufbauarbeit Ihres Netzwerks vorgehen? Wen können Sie ansprechen? Wer kann Ihre Karriere beflügeln? Es gibt für Sie die Möglichkeit, auf private Kontakte oder berufliche Beziehungen zurückzugreifen. Auch durch ein Ehrenamt lassen sich vielversprechende Verbindungen aufbauen. Für ein systematisches Networking sollten Sie folgende Kontaktmöglichkeiten berücksichtigen:

Welche Kontakte nutzen Ihnen?

- Kontakte zu Unternehmensvertretern (Kunden, Zulieferer, Serviceunternehmen und Ähnliche);

- Messekontakte (Fachmessen, Karrieretage, Produktschauen, Branchenevents);
- Kontakte aus ehrenamtlichen Tätigkeiten;
- Kontakte aus Weiterbildungsmaßnahmen;
- Kontakte zu ehemaligen Kollegen und Vorgesetzten;
- private Kontakte.

Stellen Sie Ihre Bewerbungsabsichten nicht bei jeder Gelegenheit zur Schau. Wenn es um berufliche Kontakte geht, schalten Gesprächspartner oft auf stur, sobald sie das Gefühl haben, als **Gehen Sie** Steigbügel für eine neue Position benutzt zu werden. Bei priva- **diplomatisch** ten Kontakten und bei Kontakten zu ehemaligen Kollegen und **vor** Vorgesetzten können Sie schneller auf den Punkt kommen. Wer Sie und Ihre Qualifikationen kennt, wird sich leichter dazu bewegen lassen, Ihnen weiterzuhelfen.

Wenn Sie Kontakte zu Unternehmensvertretern aufbauen wollen, sollten Sie zunächst das Interesse an der repräsentierten Firma und an Entwicklungen in Ihrer eigenen Branche thematisieren. Geben Sie sich die Aura eines interessierten Experten. Kommunizieren Sie gleichberechtigt von Kollege zu Kollege. Zukunftsaussichten sind immer ein geeignetes Thema; auch Ihr Interesse an bestimmten Produkten und Dienstleistungen wird sicherlich ein Gespräch in Gang bringen.

Sollte sich ein derartiges »Fachgespräch« positiv entwickeln, können Sie nach einiger Zeit zu erkennen geben, dass **Üben Sie** Sie mittelfristig an einer neuen Position interessiert sind. Vor- **sich in der** her sollten Sie jedoch kurz Ihre momentanen Aufgabenfelder **Kunst des** umreißen, um Ihrem Gesprächspartner eine Einordnung Ih- **Small Talk** rer beruflichen Qualifikationen zu ermöglichen. Auf keinen Fall dürfen Sie versuchen, Ihre Wechselabsichten mit Gewalt jedem Interessierten oder Nichtinteressierten aufzudrängen. Üben Sie sich in der Kunst des Small Talk; beginnen Sie Gespräche positiv, und zeigen Sie sich an Ihrem Gegenüber interessiert.

Die Kunst des Small Talk

Eine Kontaktaufnahme während einer Messe könnte so aussehen: »Guten Tag Herr Schmidt, mein Name ist Renate Kützer, als Multimedia-Projektleiterin bin ich sehr an Ihren Internet-Tools interessiert. Ihr Unternehmen hat in diesem Bereich in den letzten Jahren ja wirklich tolle Arbeit geleistet. Auf welche Rechnerarchitekturen sind denn Ihre Produkte zugeschnitten?«

Auch während einer Weiterbildungsveranstaltung kann man Karrierekontakte knüpfen: »Die Möglichkeiten der Zulieferer-Integration hat unser Referent gut ausgeführt, finden Sie nicht? In unserer Firma sind wir schon seit längerem an diesem Thema dran. Ich bereite gerade die Integration der Zulieferer in unser Qualitätsmanagement vor. Sind Ihre Erwartungen an die Veranstaltung erfüllt worden?«

Wenn Sie einen Draht zu Ihrem Gesprächspartner gefunden haben, sollten Sie sich die Möglichkeit sichern, auch in Zukunft Kontakt zu ihm aufnehmen zu können. Geben Sie ihm Ihre Visitenkarte, und bitten Sie um seine. Bauen Sie eine Netzwerkkartei auf: Nach dem Gespräch vermerken Sie auf der Visitenkarte Ort und Zeitpunkt Ihres Zusammentreffens. So haben Sie einen Anknüpfungspunkt für alle weiteren Kontakte.

Bei interessanten Kontakten können Sie sich nach einiger Zeit telefonisch melden. Erinnern Sie an das persönliche Gespräch und betonen Sie kurz Ihr Interesse an neuen beruflichen Aufgaben. Zeigt Ihr Gesprächspartner prinzipielles Interesse, schicken Sie ihm Ihre Bewerbungsunterlagen zu.

Auf einen Blick

Networking: die Fühler ausstrecken

- Kümmern Sie sich um persönliche Beziehungen innerhalb und außerhalb Ihres Berufslebens: Bauen Sie sich ein Netzwerk auf.

- Knüpfen Sie aktiv Kontakte und pflegen Sie Ihr Netzwerk. Dann wird es Ihnen auch für Ihre Initiativbewerbung von Nutzen sein.
- Networking ist eine gute Methode, um auch Vertreter von Fachabteilungen in Ihre Bewerbungsaktivitäten zu integrieren.
- Über Ihr Netzwerk erfahren Sie von freien Stellen, die noch nicht offiziell ausgeschrieben worden sind.
- Beim Aufbau Ihres Netzwerks sollten Sie Ihre Bewerbungsabsichten zurückstellen. Zeigen Sie Interesse an Ihrem Gegenüber und an seinen Aufgaben.
- Üben Sie sich in der Kunst des Small Talk. Stellen Sie Folgekontakte sicher, indem Sie eine Netzwerkkartei anlegen.

5

Plausible Argumente
für den Wechsel

Eine wesentliche Aufgabe bei Initiativbewerbungen ist es, Ihren Wunsch nach einem Arbeitgeberwechsel nachvollziehbar zu begründen. Unvorbereitete Initiativbewerber wecken immer wieder Zweifel an der Lauterkeit ihrer Absichten. Wenn Sie unnötige Spekulationen über die Gründe Ihres Wechsels vermeiden wollen, müssen Sie sich gut vorbereiten. In diesem Kapitel zeigen wir Ihnen, wie Sie Ihren Wechselwunsch für Personalverantwortliche plausibel machen.

Überwinden Sie die Skepsis der Personalexperten Bei Initiativbewerbungen müssen Sie mit einer professionellen Skepsis bei Personalverantwortlichen rechnen. Schwierige Mitarbeiter, die sich am Arbeitsplatz als Querulanten betätigen, sind gefürchtet. Unternehmen möchten nicht gern die Katze im Sack kaufen. Die Personalexperten versuchen, aus Ihren Unterlagen herauszulesen, ob Sie sich souverän verhalten werden, sich ins Team integrieren lassen und sich an die neuen Gegebenheiten anpassen können. Tauchen in Ihrer Initiativbewerbung oder in vorab geführten Kontaktgesprächen Anhaltspunkte dafür auf, dass Sie Schwierigkeiten an Ihrem momentanen Arbeitsplatz haben, werden Personalverantwortliche hellhörig.

Es kommt darauf an, gar nicht erst den Eindruck entstehen zu lassen, dass Sie den Arbeitgeber wechseln müssen, weil Sie beispielsweise Probleme mit Vorgesetzten oder Kollegen haben oder dem Druck der Arbeitsbelastung nicht mehr gewachsen sind. Es gilt, eine Argumentationsstrategie zu entwickeln, in der Sie die positiven Aspekte Ihres beruflichen Engagements betonen. Es sollte nachvollziehbar werden, dass Sie den Blick nach vorn richten und nicht in einer unbewältigten Vergangenheit feststecken.

Je besser Sie positive Begründungen für Ihren Wechsel verinnerlichen, desto eher sind Sie für alle Herausforderungen, die im Laufe der Initiativbewerbung auf Sie zukommen werden, gewappnet. Auch außerhalb der Formulierung von Anschreiben wird Ihnen die Frage »Warum wollen Sie wechseln?« begegnen. Beim Aufbau von Kontakten, bei Messebesuchen, der Teilnahme an Kongressen oder auch in Telefongesprächen mit Unternehmensvertretern müssen Sie auf diese schwierige Frage antworten können. Zögern Sie bei der Beantwortung oder beschweren Sie sich stattdessen über Ihren momentanen Arbeitgeber, wird man Ihnen Skepsis entgegenbringen. Sie machen es sich schwerer als nötig, wenn Sie den Grundsatz »Im Bewerbungsverfahren besteht keine Selbstanklagepflicht« verletzen.

Richten Sie den Blick nach vorn

Vorsicht Falle: Problemorientierung schadet

Bei unvorbereiteten Initiativbewerbern entsteht öfters der Eindruck, dass sie im neuen Unternehmen nicht den Wuncharbeitgeber sehen, sondern eher eine Notlösung für unbewältigte Probleme am alten Arbeitsplatz. Dies ist natürlich für das neue Arbeitsverhältnis keine tragfähige Basis. Personalverantwortliche, die es gewohnt sind, auch zwischen den Zeilen zu lesen, reagieren verstimmt, wenn aus der Initiativbewerbung ersichtlich wird, dass eine Problemverschiebung stattfinden soll.

Können Sie Fehlentwicklungen entgegensteuern?

Von Bewerbern mit Initiative erwarten die Unternehmen, dass sie Fehlentwicklungen aktiv gegensteuern können und in der Lage sind, ihr Arbeitsumfeld ergebnisorientiert zu strukturieren. Gefragt sind Problemlöser, die nicht vor Schwierigkeiten fliehen, sondern sich als kompetente Gestalter vorhandener Spielräume betätigen.

Nicht immer wird der Wunsch nach einer schnelleren Karriere im Vordergrund Ihrer Initiativbewerbung stehen. Manchmal sind die Verhältnisse einfach untragbar geworden. Dennoch: Sie dürfen nicht mit dem Verständnis eines neuen Arbeitgebers rechnen, wenn Sie etwas Neues erreichen wollen, indem Sie das Bestehende schlecht machen. Hinzu kommt, dass sich Personalverantwortliche sofort fragen werden, welche Rolle Sie selbst in der problematischen Situation gespielt haben und ob nicht auch Sie schuld an den Fehlentwicklungen sind. Im Sinne des Mottos »Zum Streit gehören immer zwei« stellen Sie sich womöglich in ein schlechtes Licht.

Stellen Sie sich in ein positives Licht

Vergegenwärtigen Sie sich bei Initiativbewerbungen immer, dass eine zerstörte Basis am derzeitigen Arbeitsplatz zwar ein Grund für die Suche nach einem neuen Arbeitgeber sein kann. Sie ist aber niemals eine Begründung dafür, dass Sie die Aufgaben beim neuen Arbeitgeber in den Griff bekommen werden. Vermeiden Sie es unbedingt, direkt oder indirekt Motive für einen Stellenwechsel zu thematisieren, die von Unternehmen nicht akzeptiert werden. Mit den folgenden Argumenten werden Sie sich in Ihrer Initiativbewerbung mehr schaden als nutzen:

Argumentieren Sie mit Blick nach vorn

- Mit der neuen Vorgesetzten ist eine Zusammenarbeit unmöglich geworden.
- Ein Kollege bekommt die intern ausgeschriebene Stelle, auf die man sich selbst beworben hat.
- Informationen und Entscheidungen laufen am Mitarbeiter vorbei. Das Unternehmen versucht, ihn kaltzustellen.
- Zugesagte Beförderungen sind zum wiederholten Male nicht erfolgt.
- Gehaltssteigerungen lassen sich nicht im angestrebten Maße durchsetzen.

- Interne Karrierekontakte (Lobgemeinschaften) sind wegen des Weggangs mehrere Kollegen auseinander gebrochen.
- Man hat dem Bewerber zur Gesichtswahrung nahe gelegt, sich wegzubewerben, ansonsten würde in nächster Zeit die Kündigung erfolgen.
- Die Bereitschaft, ständig Überstunden ohne finanziellen oder zeitlichen Ausgleich zu leisten, ist nicht mehr vorhanden. **Diese Argumente schaden Ihnen**
- Der Vorgesetzte, der bisher unterstützt und gefördert hat, hat sich wegbeworben.
- Das Unternehmen ist übernommen worden und im Rahmen der Umstrukturierung wird ausgesiebt.
- Der wirtschaftliche Zusammenbruch des Unternehmens ist nur noch eine Frage der Zeit.
- »Management by Mobbing« ist der bevorzugte Führungs- und Umgangsstil in der Abteilung.

Krisen und Probleme dienen nicht der positiven Selbstdarstellung. Klagen Sie sich nicht selbst an: Wenn tatsächlich einer der in unserer »Hitliste der Krisen und Probleme« genannten Gründe bei Ihnen vorliegt, hat er in Ihrer Initiativbewerbung nichts zu suchen. Verkaufen Sie sich immer von Ihrer besten Seite her, finden Sie überzeugende Argumente, mit denen Sie Ihre Eignung nachvollziehbar machen können. Stellen Sie Ihre Leistungsfähigkeit und Ihr Engagement ins Zentrum Ihrer Initiativbewerbung. Richten Sie den Blick nach vorn. **Zeigen Sie sich von Ihrer besten Seite**

Drei Strategien für den Blick nach vorn

Nehmen Sie bei Ihrer Initiativbewerbung immer eine zukunftsorientierte, inhaltliche Perspektive ein. Das heißt: Argumentieren Sie von den Anforderungen der Wunschposition her, und stellen Sie heraus, was Sie an Stärken, Erfahrungen und Erfolgen mitbringen. Es gibt drei Strategien, den Blick nach vorn für die Begründung des Arbeitgeberwechsels zu nutzen:

1. Der Initiativbewerber macht deutlich, dass die Wunschposition eine planmäßige Fortsetzung seiner Karrierestrategie darstellt.

Eine inhaltliche Perspektive bringt Sie weiter

2. Der Initiativbewerber kann seine beruflichen Erfolge konkret belegen und stellt überzeugend dar, dass das neue Unternehmen ebenfalls von seiner Arbeitsleistung profitieren wird.

3. Der Initiativbewerber hat sein Fachwissen und seine persönlichen Fähigkeiten konsequent weiterentwickelt und möchte seine erweiterte Kompetenz in die neue Position einbringen.

Eine der drei genannten Strategien wird auch für Sie geeignet sein. Damit Sie die optimale Vorgehensweise wählen können, stellen wir nun die einzelnen Strategien näher vor.

Verwirklichung von Karrierezielen: Personalverantwortliche haben in der Regel ein offenes Ohr für Bewerber, die signalisieren, dass sie aufstiegsorientiert sind. Sie als Initiativbewerber stellen bei dieser Strategie auf Ihre bisherige berufliche Entwicklung ab. Ihr Ziel sollte es sein, die einzelnen Stationen Ihrer Berufstätigkeit so miteinander zu verknüpfen, dass die angestrebte Wunschposition als logische Konsequenz erscheint.

Der rote Faden in der Entwicklung

Ein Bewerber für die Wunschposition Niederlassungsleiter könnte den roten Faden in seiner beruflichen Entwicklung so sichtbar machen:

Beispiel

»Seit drei Jahren bin ich als stellvertretender Niederlassungsleiter tätig. Zu meinen Aufgaben gehört die Leitung von Fertigungsteams und die Einhaltung der Qualitätsstandards sowie die Sicherung der Lieferzeiten.

Für diese Aufgaben habe ich mich als Projektierungsingenieur qualifiziert. Vor meiner Tätigkeit als stellvertretender Niederlassungsleiter war ich zwei Jahre mit der Projektierung und Inbetriebnahme beauftragt. In meiner ersten beruflichen Position habe ich als Entwicklungsingenieur gearbeitet und in der Prototypenentwicklung Freigabeversuche geplant und durchgeführt. Ich möchte jetzt den nächsten Schritt in meiner beruflichen Entwicklung machen und für Sie als Niederlassungsleiter tätig werden.«

Der Duft des Erfolgs: Der Aussagekraft konkret messbarer Erfolge können sich Personalverantwortliche nicht verschließen. Wenn Sie es schaffen, den Erfolg Ihrer beruflichen Tätigkeit in Zahlen zu fassen, haben Sie Argumentationsvorteile. **Messbare** Durchsuchen Sie Ihre Bestandsaufnahme nach beruflichen **Erfolge be-** Erfolgen, die quantifizierbar sind. Dies können Umsatzsteige- **eindrucken** rungen, Gewinnmaximierungen, Kostenvorteile im Einkauf, Ausweitung des Kundenstamms, Senkung der Fluktuation, Produktionssteigerungen oder Verringerungen der Ausschussquote sein. Scheuen Sie sich nicht, konkrete Belege für Ihre erfolgreiche Arbeit anzuführen. Achten Sie aber darauf, dass Sie keine Firmengeheimnisse weitergeben oder die Konkurrenz unnötig ins Bild setzen.

Mit Zahlen jonglieren

Ihren beruflichen Erfolg kann eine Regionalleiterin im Vertrieb, die sich initiativ bei einem anderen Unternehmen bewirbt, so ins Rampenlicht stellen:

Beispiel

»In meiner Tätigkeit als Regionalleiterin im Vertrieb habe ich durch neue Gebietsstrukturierungen und intensive Betreuung der Außendienstmitarbeiter die Zahl der pro Kopf getätigten Kundenbesuche von sieben auf neun am Tag erhöht. Dies schlug sich zusammen mit begleitenden Verkaufsförderungsmaßnahmen in einem Umsatzwachstum von

30 Prozent in meiner Region nieder. Meine Erfahrungen in der Optimierung der Vertriebsarbeit möchte ich in Ihr Unternehmen einbringen und mit Ihnen Erfolge an der Verkaufsfront durchsetzen.«

Fit für die Zukunft: Der Erwerb neuer Qualifikationen oder die regelmäßige Übernahme von Sonderaufgaben zeigen, dass sich die Initiative des Bewerbers nicht in hohlen Phrasen erschöpft. Wer sich neben dem Tagesgeschäft weiterqualifiziert nimmt Personalverantwortliche für sich ein. Bewerber, die Ihre erhöhte Leistungsbereitschaft zum Wohle des Unternehmens nutzen, sind willkommen.

Dank Qualifizierung zum Karriereerfolg

Die Bildungsoffensive

Beispiel

Ein Marketingreferent, der mehr möchte, als den Anweisungen seines Chefs zu folgen, könnte sein Engagement für die Sache – und damit seinen Wechselwunsch – so begründen:

»Meine Berufserfahrung im Marketing beinhaltet sowohl die Betreuung des Tagesgeschäfts als auch die Auseinandersetzung mit innovativen Konzepten. Neben der Durchführung von Marktstudien und der Betreuung von Produktkampagnen habe ich mich im Bereich Channel-Marketing weitergebildet. In Zusammenarbeit mit dem Vertrieb habe ich die Absatzkanäle analysiert und optimiert. Diesen Teil meiner Arbeit möchte ich bei Ihnen weiter ausbauen.«

Damit Sie in Ihrer Initiativbewerbung den Blick nach vorn richten können, sollten Sie jetzt unsere Übung »Ich wechsle, weil ...« durchführen. Vermeiden Sie bei der Begründung Ihres Wechselwunsches jegliche Thematisierung von Problemen und Krisen. Entscheiden Sie sich lieber für eine der von uns vorgestellten Argumentationsstrategien. Lernen Sie, Ihren Stellenwechsel positiv zu begründen.

Ich wechsle, weil ...

Übung

Finden Sie für sich die geeignete Argumentationsstrategie heraus. Gehen Sie Ihre Bestandsaufnahme durch und suchen Sie nach Belegen, mit denen Sie die einzelnen Strategien mit Inhalt füllen können. Bevor Sie sich entscheiden, sollten Sie es mit allen drei Strategien probieren. Erst dann werden Sie beurteilen können, mit welcher sich in Ihrem Fall am besten arbeiten lässt.

Verwirklichung von Karrierezielen

Beleg 1: . . . .
Beleg 2: . . . .
Beleg 3: . . . .

Der Duft des Erfolgs

Beleg 1: . . . .
Beleg 2: . . . .
Beleg 3: . . . .

Fit für die Zukunft

Beleg 1: . . . .
Beleg 2: . . . .
Beleg 3: . . . .

Sie überzeugen mit Ihrer Initiativbewerbung, wenn Sie sich in Ihrer Vorbereitung ein plausibles Motiv für Ihre Wechselabsichten erarbeiten. Nehmen Sie Bedenken und Zweifeln von vornherein den Wind aus den Segeln. Versetzen Sie sich in die Lage von Personalverantwortlichen, und beantworten Sie von sich aus die Frage: »Warum will der Bewerber seinen Arbeitge- **Erarbeiten Sie sich plausible Motive für den Wechsel** ber wechseln?« Dabei müssen Sie alles, was auch nur ansatzweise nach Problemen, Krisen und Schwierigkeiten klingt, aus dem Spiel lassen. Verwenden Sie nur Begründungen, die von Personalverantwortlichen akzeptiert werden. Füllen Sie die Strategien, die wir Ihnen vorgestellt haben, mit individuellen Beispielen und Ihren persönlichen Erfolgen.

Auf einen Blick

Plausible Argumente für den Wechsel

Im Blick

- Rechnen Sie mit einer gewissen Portion Skepsis gegenüber Ihrer Initiativbewerbung. Lassen Sie nicht den Eindruck entstehen, dass Sie den Arbeitgeber wechseln wollen oder müssen, weil es Schwierigkeiten gibt.

- Die Orientierung an der Vergangenheit ist für das Erreichen neuer Ziele schlecht. Ärger beim momentanen Arbeitgeber macht Bewerber unattraktiv.

- Je besser Sie positive Begründungen für Ihren Wechsel verinnerlichen, desto leichter werden Sie es im Verlauf der Initiativbewerbung haben.

- Unvorbereitete Initiativbewerber erwecken oft den Eindruck, dass der neue Arbeitgeber für sie eher eine Notlösung als das Wunschunternehmen ist.

- Selbst wenn es zu Fehlentwicklungen an Ihrem Arbeitsplatz gekommen ist, dürfen Sie diese nicht in der Initiativbewerbung thematisieren.

- Krisen und Probleme, beispielsweise Arbeitsüberlastung, Stress mit den Kollegen oder blockierende Vorgesetzte, werden von Personalverantwortlichen nicht als Wechselgründe akzeptiert.

- Richten Sie bei Ihrer Initiativbewerbung stets den Blick nach vorn. Stellen Sie dar, dass Sie die Anforderungen der Wunschposition bewältigen können.

- Der Wunsch nach einem Arbeitgeberwechsel wird von Personalverantwortlichen akzeptiert, wenn er mit einer der folgenden Strategien begründet wird:
  - Verwirklichung von Karrierezielen
  - Der Duft des Erfolgs
  - Fit für die Zukunft
- Füllen Sie die Strategien mit Leben, binden Sie Beispiele aus Ihrem beruflichen Werdegang ein und verweisen Sie auf Ihre besonderen Erfolge.

6

Mit dem Telefon
auf die Überholspur

Der gezielte Einsatz des Telefons ist bei Initiativbewerbungen unverzichtbar. Die Anknüpfungspunkte, die Sie sich mit einem Telefonat erarbeiten, sorgen dafür, dass Sie sich nicht als gesichtsloser Durchschnittsbewerber, sondern als Wunschkandidat mit Profil präsentieren können. Um sich am Telefon überzeugend in Szene zu setzen, müssen Sie Vorarbeit leisten. Werden Sie sich über Ihre Gesprächsziele klar, und finden Sie den richtigen Aufhänger für das Telefonat.

Zumeist lässt die Angst davor, sich schlecht darzustellen, Initiativbewerber vor dem Griff zum Telefon zurückschrecken. Die Vorteile, die Sie sich für Ihre Initiativbewerbung mit einem Telefonat erarbeiten können, sind so vielfältig, dass Sie auf einen Anruf bei Ihrem Wunschunternehmen nicht verzichten sollten. Ist Ihr Gespräch gut vorbereitet, geraten Sie gar nicht erst in Gefahr, sich zu blamieren. Im Gegenteil: Sie erhalten die **Was für eine** Chance, Sympathiepunkte zu erzielen, die sich bei der späteren **Bewerbung** Überprüfung Ihrer Unterlagen zu Ihren Gunsten auswirken **wünscht das** werden. Ein weiterer Vorteil für Sie ist, dass Sie am Telefon Zu-**Unter-**satzinformationen erfragen können, die dafür sorgen, dass Sie **nehmen?** Ihre Initiativbewerbung noch passgenauer auf die Wunschposition zuschneiden können.

Nicht nur inhaltlich, auch auf formaler Ebene werden Sie punkten. Mit dem Telefon können Sie schnell herausfinden, wie Sie am besten mit dem Unternehmen in Kontakt treten und in welcher Form Ihre Initiativbewerbung versendet werden sollte. Wünscht sich das Unternehmen eine komplette Bewerbungsmappe auf dem Postweg? Erwartet es, dass Sie ein knappes Anschreiben und einen Lebenslauf per E-Mail schicken? Ist es vorrangig an einer Kurzbewerbung in Papierform interessiert?

Neben diesen Hauptinformationen, die Sie für Ihre Initiativbewerbung brauchen, ergeben sich für Sie aus dem Anruf weitere positive Nebeneffekte: Personalverantwortliche werden Sie als initiativfreudig einschätzen, Sie können in Ihrem Anschreiben auf einen telefonischen Kontakt hinweisen, Sie können sicherstellen, dass Ihre Initiativbewerbung auch bei einem zuständigen Bearbeiter landet. **Positive Konsequenzen des Telefonkontakts**

Manchmal ergibt sich sogar die Möglichkeit, einen kurzen Profilabgleich am Telefon durchzuführen. Das heißt, ein kurzer gegenseitiger Informationsaustausch hilft sowohl dem Personalverantwortlichen als auch Ihnen dabei, zu klären, ob sich Ihr Bewerberprofil und das Anforderungsprofil Ihrer Wunschposition überhaupt zur Deckung bringen lassen.

Aus unserer Beratungspraxis

Trau dich

Beratung

Einer unserer Kunden weigerte sich beharrlich, das Telefon einzusetzen. Jeden unserer Hinweise, wie wichtig es sei, zur Vorbereitung seiner Initiativbewerbung zum Telefonhörer zu greifen, quittierte er mit: »Nee, das bringt nichts, das kann ich Ihnen sagen.« Da der Kunde über die Gründe für seine Ablehnung nicht mit sich reden lassen wollte, musste ein Probetelefonat Aufschluss bringen.

Es zeigte sich, dass der Bewerber schon beim Griff zum Telefon deutliche Stresssymptome erkennen ließ.

Seine Hand begann zu zittern, er kniff die Lippen zusammen und im Gesicht zeigten sich rote Flecke. Dies spiegelte sich auch im Gespräch wider. Er verhielt sich sehr einsilbig und schwieg immer wieder, sodass man glauben konnte, die Leitung wäre tot. Schließlich beendeten wir das unproduktive Telefonat.

Dem Kunden war überhaupt nicht klar, was er bei einem Anruf in eigener Sache sagen sollte, daher lehnte er es auch ab, Telefongespräche zur Vorbereitung seiner schriftlichen Bewerbung zu führen. Unser Hinweis darauf, dass er das Telefon ja auch bei seiner täglichen Arbeit einsetzen würde, um Informationen zu erfragen und die richtigen Ansprechpartner herauszufinden, brachte ihn schließlich auf die richtige Fährte. Er übertrug die Situation an seinem Arbeitsplatz auf die Bewerbungssituation. Dies stärkte seine Bereitschaft, überhaupt zum Telefonhörer zu greifen. Damit er in einem Telefonat sinnvolle Informationen übermitteln konnte, erarbeiteten wir mit ihm ein Kurzprofil. Nach einigen weiteren Übungstelefonaten war er für den Einsatz des Telefons zur Vorbereitung seiner Initiativbewerbung bereit.

Fazit: In einem Telefongespräch lassen sich schnell Informationen erfragen und vermitteln. Diese Möglichkeit zur Vorbereitung der Initiativbewerbung sollte nicht ungenutzt bleiben. Die Erstellung eines Kurzprofils ist die richtige Vorbereitung für Telefongespräche. So findet der notwendige Input statt, der einen Informationsaustausch zwischen Bewerber und Personalverantwortlichem ermöglicht.

Die Warm-up-Phase

Den vielfältigen Chancen, die Ihnen ein Telefonanruf bietet, steht ein Risiko gegenüber: Bedenken Sie, dass es niemals eine zweite Chance für den ersten Eindruck gibt. Sie müssen daher den besonderen Anforderungen der Selbstdarstellung am Telefon gerecht werden. Ein unbedarftes »Mal schauen, was passiert, wenn ich bei dem Unternehmen anrufe« befördert Sie schnell ins Aus. Sie sollten die Grundregeln des überzeugenden Telefonierens vor dem Anrufen kennen und trainieren lernen. Bevor Sie zum Hörer greifen, um Ihre Initiativbewerbung vorzubereiten, müssen Sie

Es gibt nur eine Chance für den ersten Eindruck

- Störfaktoren ausschalten,
- Gesprächsziele definieren und
- einen geeigneten Ansprechpartner herausfinden.

Störfaktoren ausschalten

Vor einem Telefongespräch müssen Sie zunächst die optimalen Rahmenbedingungen herstellen. Überlegen Sie sich, welche Störfaktoren aus Ihrer Umgebung das Telefonat beeinträchtigen könnten.

Telefonieren Sie auf keinen Fall von Ihrem Arbeitsplatz aus. Setzen Sie sich nicht unter unnötigen Druck, weil Ihre Wechselabsichten zu früh bekannt werden. Auch Ihr potenzieller neuer Arbeitgeber wird es nicht schätzen, wenn Sie während der Arbeitszeit Bewerbungsaktivitäten entfalten.

Bleiben Sie diskret

Wenn Sie von zu Hause aus anrufen, sollten Sie dafür sorgen, dass Sie konzentriert telefonieren können. Schalten Sie die Wohnungsklingel ab. Informieren Sie Ihre Partnerin beziehungsweise Ihren Partner darüber, dass Sie ein wichtiges Telefongespräch führen möchten. Die neuen Komfortmerkmale der Telefongesellschaften können in Gesprächen mit Firmenvertretern ein negatives Eigenleben entwickeln. Schalten Sie die Funktion »Anklopfen« aus. Das Tonsignal, mit dem ein parallel eingehender Anruf gemeldet wird, entnervt sonst Sie und Ihren Gesprächspartner.

Im Unterschied zum Vorstellungsgespräch haben beide Gesprächspartner beim Telefonkontakt einzig die Stimme des anderen als Eindruck zur Verfügung. Das bedeutet, dass über den Klang und Ausdruck der Stimme sowohl Aufregung, **Telefonieren** Unsicherheit und Ängstlichkeit als auch Sicherheit und **Sie nur,** Selbstbewusstsein vermittelt werden. Rufen Sie nur an, wenn **wenn Sie** Sie sich topfit fühlen. Telefonieren Sie im Stehen; Sie sind **topfit sind** dann länger konzentriert, und der Spannungsbogen reißt nicht so schnell ab. Für das Gespräch sollten Sie immer Stift und Papier bereithalten. Legen Sie einen ausgearbeiteten Lebenslauf neben das Telefon, damit Sie schnell Informationen über Ihre bisherige berufliche Entwicklung geben können. Notieren Sie sich Datum und Uhrzeit Ihres Telefonats und, falls bekannt, den Namen Ihres Ansprechpartners in der Firma.

Wenn Sie die Rahmenbedingungen geklärt haben, müssen Sie sich noch mit der inhaltlichen Seite des Gesprächs auseinander setzen.

Gesprächsziele definieren

Aus unserer Beratungspraxis wissen wir, dass Bewerberinnen und Bewerber sich über die Ziele, die sie mit einem Anruf bei einem **Werden Sie** nem Unternehmen erreichen wollen, oft nicht im Klaren sind. **sich über Ihre** Die meisten glauben, dass sie am Telefon gleich in ein Vorstel-**Ziele klar** lungsgespräch verwickelt werden. Damit bauen Anrufer einen viel zu großen Druck auf. Als Konsequenz verzichten sie dann lieber auf ein Telefonat.

Es sollte bei einem Anruf jedoch nicht um die Beantwortung der Frage »Haben Sie eine passende Stelle für mich oder nicht?« gehen. Im Vordergrund sollte die Vorbereitung der Initiativbewerbung stehen. Im Gespräch erfragte Zusatzinformationen können im Anschreiben und im Lebenslauf aufgegriffen werden. Je individueller Sie damit auf die Anforderungen des Unternehmens eingehen, desto größer sind Ihre Chancen, zu einem Vorstellungsgespräch eingeladen zu werden. Legen Sie vor dem Gespräch fest, bei welchen Punkten Sie Klärungsbedarf haben:

Legen Sie vor dem Gespräch Ihre Themenliste fest

- Möchten Sie im Initiativanschreiben auf ein Telefongespräch verweisen können?
- Möchten Sie herausfinden, auf welche Kenntnisse und Fähigkeiten das Unternehmen besonderen Wert legt?
- Möchten Sie herausfinden, ob Sie Ihr Profil ausbauen müssen?
- Möchten Sie sich erkundigen, ob Sie Ihre Bewerbung über das Internet oder auf dem Postweg an das Unternehmen schicken sollen?
- Möchten Sie eine persönliche E-Mail-Adresse für Ihre Online-Initiativbewerbung erfragen?
- Möchten Sie erfragen, ob kurz- oder mittelfristig Interesse an Ihrem Profil besteht?
- Möchten Sie einen ersten Eindruck der Unternehmenskultur gewinnen und feststellen, wie man Sie am Telefon behandelt?
- Möchten Sie sich über den aktuellen Einstellungsbedarf des Unternehmens erkundigen?
- Möchten Sie einen Kontakt vertiefen, den Sie in einem persönlichen Gespräch, beispielsweise auf einer Messe, geknüpft haben?

Halten Sie Ihre Fragen schriftlich fest

Wenn Sie sich über Ihre Gesprächsziele klar geworden sind, sollten Sie sich die dazu passenden Fragen aufschreiben, um sich die von Ihnen gewünschten Informationen zu verschaffen.

Auf diese Weise können Sie Ihren Informationsbedarf vermitteln und zeigen, dass Sie sich auf das Gespräch angemessen vorbereitet haben.

Es gibt keine Geheimnisse oder Zaubertricks, mit denen Bewerber die Personalverantwortlichen im Telefongespräch dazu bringen, ihnen auf der Stelle einen Arbeitsvertrag zuzuschicken. Das Gegenteil ist der Fall. Personalverantwortliche fühlen sich nicht ernst genommen, wenn Anrufer ihnen die Zeit mit nichtssagenden Frage- und Antwortspielchen stehlen wollen. Definieren Sie realistische Gesprächsziele. Sie beeindrucken Personalverantwortliche dann, wenn Sie Fragen stellen, deren Beantwortung am Telefon auch aus Sicht der Unternehmen einen Sinn macht.

Definieren Sie realistische Gesprächsziele

Einen geeigneten Ansprechpartner herausfinden

Es gibt viele Wege, Ansprechpartner für Ihre Telefonkontakte zu finden:

- Die meisten Unternehmenspräsentationen im Internet enthalten die Telefonnummern von Kontaktpersonen.
- In Stellenausschreibungen werden immer wieder Durchwahlnummern von Personalreferenten angegeben.
- Im Informationsmaterial, das Sie von Unternehmen anfordern können, finden Sie häufig für Bewerbungen zuständige Ansprechpartner.
- Bauen Sie sich ein Beziehungsnetz auf, betreiben Sie aktives Networking: Sammeln Sie die Visitenkarten von Kollegen aus der gleichen Branche. Besuchen Sie Veranstaltungen, die eine Kontaktaufnahme ohne Bewerbungsabsichten ermöglichen (Messen, Tagungen, Seminare, Fachvorträge).
- Nutzen Sie Kontakte aus ehrenamtlichen Tätigkeiten. Lassen Sie sich Ansprechpartner in Unternehmen empfehlen.

Viele Wege führen zur richtigen Durchwahl

- Gehen Sie Ihre beruflichen Kontakte durch. Auf welche Ansprechpartner kann man für eine Bewerbung zurückgreifen? Denken Sie an Zulieferer, Kunden, Einkäufer, Verkäufer, Berater.

Sie können auch einfach die Telefonzentrale eines Unternehmens anrufen und sich die Durchwahlnummer eines geeigneten Ansprechpartners nennen lassen, beispielsweise so:

Lassen Sie sich verbinden

»Ich habe eine Nachfrage wegen einer Bewerbung. Welche Abteilung ist bei Ihnen für Bewerber aus dem Bereich ... zuständig? Könnten Sie mir bitte einen Ansprechpartner und seine Durchwahl nennen?«

Beispiel

Wenn Sie einen Ansprechpartner gefunden haben, sollten Sie sich nicht zu schnell abwimmeln lassen. Betonen Sie ausdrücklich, dass Sie Verständnis dafür haben, wenn Ihr Gesprächspartner stark eingebunden ist und wenig Zeit hat. Weisen Sie jedoch dezent darauf hin, dass eine intensive Überprüfung Ihrer Bewerbungsunterlagen weitaus mehr Zeit, Mühe und Kosten verursacht als ein kurzes Telefongespräch. Der Widerstand am anderen Ende der Leitung ist dann meistens nicht sehr groß. Schlimmstenfalls fragen Sie, ob Sie zu einem anderen Zeitpunkt, an dem es besser passt, noch einmal anrufen können. **Bleiben Sie freundlich, aber hartnäckig**

Interesse für Ihr Qualifikationsprofil wecken

Das Problem bei Initiativbewerbungen ist, dass Ihnen keine Stellenbeschreibung vorliegt, auf die Sie sich im Telefongespräch beziehen können. Aus unserer Beratungspraxis wissen wir, dass Bewerber sich sehr schwer damit tun, Schwerpunkte bei der Darstellung ihrer Qualifikationen zu setzen.

Argumentieren Sie im Telefongespräch immer von der Wunschposition aus, die Sie anstreben. Vermeiden Sie es aber, Ihren Gesprächspartner mit Informationen zu überschütten. Bei zu langen Ausführungen wird sich Ihr Gegenüber nicht auf Sie konzentrieren können. Ihre Kernaussagen werden untergehen. Die Gefahr entsteht, dass Ihr Zuhörer eher überlegt, wie er **Bringen Sie** Sie unterbrechen und loswerden kann, als dass er bereit ist, sich **Substanz in** mit Ihrem Profil auseinander zu setzen. Für Personalverant- **das Telefon-** wortliche und andere Unternehmensvertreter ist es wichtig, **gespräch** dass sie komprimierte Informationen bekommen, die es ihnen erlauben, Ihre Nützlichkeit für das Unternehmen einzuschätzen. Stellen Sie Tätigkeiten in den Vordergrund, die besonders gut Ihr individuelles Qualifikationsprofil charakterisieren. Gleich am Anfang des Telefonats sollten Sie Substanz in das Gespräch bringen und einen kurzen Ausschnitt aus Ihrer Bestandsaufnahme präsentieren.

Greifen Sie bei der Selbstdarstellung am Telefon auf konkrete Erfahrungen aus Ihrer Berufspraxis zurück. Unsere Beispiele zeigen Ihnen, wie Sie nach der üblichen Begrüßung mittels eines Aufhängers das Interesse Ihres Gesprächspartners an Ihrer Person wecken können.

Ingenieurin im Management

Beispiele

Eine von uns betreute *Ingenieurin* konnte in ihren Telefongesprächen mit ihren Erfahrungen in der Projektmitarbeit Interesse wecken. Sie hatte Anlagenpläne entworfen, technische Fragen mit Kunden geklärt und die Verkaufsabteilung unterstützt.

Am Telefon benutzte sie den Gesprächsaufhänger: »Ich würde gern für Sie als Projektmanagerin arbeiten. Bisher habe ich projektbezogene Anlagenpläne mittels CAD/CAE erstellt und die Konfigurationsunterlagen angefertigt. Daneben habe ich technische Fragen mit Kunden und Zulieferern geklärt und für die Verkaufsabteilung Aufträge kalkuliert.«

Mit Eigen-PR zum Erfolg

Ein *Marketingmitarbeiter* hatte sich im PR-Bereich bereits um nationale und internationale Events gekümmert. Sein Aufhänger für das Telefongespräch lautete: »Für die Position als Eventmanager bringe ich Erfahrungen in der Durchführung von nationalen und internationalen Events mit. Ich war für die Budgets verantwortlich und habe die Medienwirksamkeit von Events bewertet.« Beispiel 2

Investitionen in den Webauftritt

Ein *Bankkaufmann* hatte neben seiner Tätigkeit im Investmentbanking eng mit der Anwendungsentwicklung zusammengearbeitet und Webprojekte betreut.

Diese Erfahrungen stellte er im Telefongespräch mit folgenden Sätzen in den Vordergrund: »Ich arbeite bereits im webgestützten Investmentbanking, kenne mich sehr gut mit Beratungs- und Börseninformationssystemen aus. Die Koordination von Webprojekten ist mir vertraut. Daher möchte ich bei Ihnen als Produktmanager Webservices im Investmentbanking tätig werden.« Beispiel 3

Sie werden bei Telefonkontakten zur Vorbereitung Ihrer Initiativbewerbung nicht umhin kommen, Ihr Profil zum Gegenstand des Gesprächs zu machen. Geben Sie Ihrem Ansprechpartner eine Vorlage, auf die er reagieren kann. So vermeiden Sie zähe Anbiederungsversuche, die bei Personalverantwortlichen unbeliebt sind. Erarbeiten Sie sich einen gezielten Einstieg in Telefonate, damit Sie im Ernstfall nicht nach Worten ringen müssen. Beschreiben Sie sich als aktiv und zupackend; das gelingt Ihnen mit folgenden Formulierungen: **Beschreiben Sie sich als aktiv und zupackend**

- »Ich habe mich mit . . . . beschäftigt.«
- »Ich verfüge über Erfahrungen in . . . .«
- »Ich habe mich mit . . . . auseinander gesetzt.«
- »Ich arbeite bereits als . . . .«

Nutzen Sie diese Formulierungen

- »Die Aufgaben eines . . . . sind mir bekannt aus . . . .«
- »In die Bereiche . . . . und . . . . habe ich mich neben meinen Aufgaben im Tagesgeschäft eingearbeitet.«
- »Ich habe . . . . organisiert/geleitet/durchgeführt/koordiniert.«
- »Projektverantwortung habe ich als . . . . übernommen.«
- »Mit den Tätigkeiten einer . . . . bin ich vertraut.«
- »Ich habe einen Umsatz von . . . . verantwortet.«
- »Ich habe . . . . Mitarbeiter geführt.«
- »Ich habe Gewinnsteigerungen im Markt für . . . . realisiert.«
- »Den Markt für . . . . habe ich erfolgreich erschlossen.«

Wenn Sie die von uns vorgestellten Formulierungen nutzen, brauchen Sie sich weder unnötig aggressiv in den Vordergrund zu spielen noch müssen Sie Ihr Licht unter den Scheffel stellen.

Ihr Gesprächspartner sollte Ihnen leicht zuhören können

Sie beschreiben einfach, was Sie an besonderen Kenntnissen und Erfahrungen vorzuweisen haben, und ermöglichen Ihrem Gesprächspartner am anderen Ende der Leitung, vorurteilsfrei und unvoreingenommen zuzuhören. Schneiden Sie jetzt unsere Formulierungen auf Ihre individuellen Bedürfnisse zu. Füllen Sie sie mit konkreten Beispielen, damit Ihr Telefongespräch von Anfang an erfolgversprechend verläuft.

So kommt Ihr Telefongespräch in Schwung

Greifen Sie auf Ihre Bestandsaufnahme zurück. Überlegen Sie sich Highlights aus Ihrer bisherigen Berufstätigkeit. Ihren Gesprächspartner werden diejenigen Tätigkeiten am meisten interessieren, die einen Bezug zu Ihrer Wunschposition haben.

Entscheiden Sie sich dann für drei bis vier Schlagworte, die Ihre Highlights am besten charakterisieren, und versuchen Sie, diese in wenigen Sätzen unterzubringen, so wie wir es Ihnen in unseren Beispielen vorgestellt haben.

Highlight 1: . . . .
Schlagwort 1: . . . .
Schlagwort 2: . . . .
Schlagwort 3: . . . .

Highlight 2: . . . .
Schlagwort 1: . . . .
Schlagwort 2: . . . .
Schlagwort 3: . . . .

Meine Einstiegssätze: . . . .
. . . .
. . . .
. . . .

Wenn Ihnen nach der Gesprächseröffnung Fragen von der Unternehmensseite gestellt werden, können Sie davon ausgehen, dass man sich ernsthaft für Sie interessiert. Üblicherweise wird man Sie fragen:

Fragen signalisieren Interesse

• Wie kommen Sie auf unser Unternehmen?

- Warum wollen Sie wechseln?
- Was versprechen Sie sich davon, bei uns zu arbeiten?
- Welche Berufsausbildung bringen Sie mit?
- Interessieren Sie auch andere Tätigkeiten in unserem Unternehmen?

Setzen Sie sich vor Telefongesprächen mit diesen Fragen auseinander. Antworten Sie konkret mit der Aufzählung positiver Beispiele aus Ihrem beruflichen Werdegang. Beim telefonischen Erstkontakt wird kein tiefergehendes Vorstellungsgespräch mit Ihnen geführt. Dennoch sollten Sie plausibel argumentieren können, damit das Interesse an Ihnen weiter bestehen bleibt. Anregungen für überzeugende Antworten bekommen Sie im Kapitel *Etappensieg: Das Unternehmen meldet sich.*

Fassen Sie am Ende das Ergebnis zusammen Sie müssen das Telefongespräch aktiv beenden. Im Idealfall fassen Sie das Ergebnis kurz zusammen und halten fest, dass Sie dem Unternehmen gern Ihre Bewerbungsunterlagen zusenden möchten. Bedanken Sie sich bei Ihrem Gegenüber für die in Anspruch genommene Zeit und für die Informationen, die Sie erhalten haben.

Denken Sie an den Namen Ihres Gesprächspartners Wenn Sie merken, dass Sie den Namen Ihres Gesprächspartners am Ende des Telefonats nicht mehr präsent haben, bitten Sie ihn, diesen noch einmal zu nennen und eventuell zu buchstabieren. Unvorbereiteten Initiativbewerbern passiert es immer wieder, dass Telefongespräche positiv verlaufen, sie ihre Bewerbungsunterlagen aber unpersönlich adressieren müssen, da sie den Namen des Unternehmensvertreters wieder vergessen haben. Damit verspielen sie leichtfertig die durch den telefonischen Kontakt erarbeiteten Vorteile.

Setzen Sie sich im Anschreiben Ihrer Initiativbewerbung mit einer persönlichen Anrede und dem Hinweis auf Ihren telefonischen Erstkontakt positiv in Szene. Beispielsweise so:

- »Sehr geehrte Frau Schmidt,
  vielen Dank für die Informationen zur Tätigkeit als ABC bei

der XYZ AG, die Sie mir in unserem Telefongespräch gegeben haben.«

- »Sehr geehrter Herr Baumann,
hier die ergänzenden Informationen zu unserem Telefongespräch vom ...«

Ihre Unterlagen sollten nach zwei Tagen eintreffen

- »Sehr geehrte Frau Tscheslog,
wie besprochen übersende ich Ihnen die gewünschten Bewerbungsunterlagen.«

Um den Startvorteil, den Sie sich aufgebaut haben, zu nutzen, sollten Ihre Bewerbungsunterlagen spätestens zwei Tage nach dem Telefonat beim Gesprächspartner ankommen. Sonst verblasst die Erinnerung an Sie.

Auf einen Blick

Mit dem Telefon auf die Überholspur

Im Blick

- Der gezielte Einsatz des Telefons ist bei Initiativbewerbungen unverzichtbar.
- Ein Telefonat mit dem Wunscharbeitgeber dient nicht nur dazu, einen Adressaten für den Versand der Bewerbungsunterlagen zu finden und sich über die gewünschte Form der Bewerbung zu informieren, sondern auch dazu, erste Sympathiepunkte zu sammeln.
- Initiativbewerber, die zum Telefon greifen, werden von Personalverantwortlichen als kontaktfreudig, kommunikationsstark und engagiert eingeschätzt.
- Das Risiko beim Griff zum Telefonhörer lautet: Es gibt niemals eine zweite Chance für den ersten Eindruck. Bereiten Sie sich deshalb vor.
- Stellen Sie vor dem Telefongespräch optimale Rahmenbedingungen her. Schalten Sie Störfaktoren aus. Halten Sie Stift, Papier und Ihren Lebenslauf bereit.

- Definieren Sie Ihre Gesprächsziele vor dem Telefonat.
- Es gibt mehrere Wege, geeignete Ansprechpartner für Ihre Telefonkontakte zu finden. Beispielsweise die Durchsicht von Unternehmenshomepages im Internet, der Rückgriff auf berufliche Kontakte oder die Aktivierung persönlicher Beziehungen.
- Überlegen Sie sich einen Gesprächsaufhänger, der einen Bezug zur Wunschposition hat. Greifen Sie auf konkrete Erfahrungen aus Ihrer Berufspraxis zurück.
- Beschreiben Sie sich mit neutralen Formulierungen, damit Ihr Gesprächspartner Ihnen unvoreingenommen folgen kann.
- Wenn Ihnen am Telefon Fragen gestellt werden, haben Sie es geschafft, Interesse zu wecken.

7

Richtig präsentieren
mit der Bewerbungsmappe

Ihre Bewerbungsmappe transportiert den ersten Eindruck, den sich die neue Firma von Ihnen macht. Bestimmte Regeln sind zu beachten, damit Sie nicht wegen einer fehlerhaften Form der Unterlagen Minuspunkte kassieren und sich so um die Chance bringen, dass man Ihre Initiativbewerbung inhaltlich gründlich prüft. Wir erläutern Ihnen, welche Dokumente in Ihre Mappe gehören und wie Sie sie optimal anordnen. Sie erfahren, ob Sie lieber eine Kurzbewerbung oder vollständige Bewerbungsunterlagen verschicken sollten.

Personalverantwortliche sind es gewohnt, sich ein Bild von Bewerbern zu machen, indem sie Informationen heranziehen, die indirekt vermittelt werden. Hierbei kommt der Bewerbungsmappe eine entscheidende Rolle zu. Die Präsentation Ihrer Qualifikationen mit einer Bewerbungsmappe lässt Personalverantwortliche erste Rückschlüsse auf Ihre Arbeitsweise, Ihre Sorgfalt und Ihre Fähigkeit zur Konzentration auf das Wesentliche ziehen.

Bei der Bewertung Ihrer Mappe wird zwischen formalen und inhaltlichen Fehlern unterschieden. Durch einwandfrei gestaltete Unterlagen gehen Sie sicher an den Start. Aber selbst wenn Sie formale Fehler vermeiden, werden Sie noch nicht automatisch zu einem Vorstellungsgespräch eingeladen. Erst wenn die anschließende inhaltliche Prüfung Ihrer Unterlagen ergibt, dass Sie für das Unternehmen interessant sind, erreichen Sie die nächste Runde. Dennoch sollten Sie die Wirkung formaler

Vermeiden Sie formale und inhaltliche Fehler

Fehler nicht unterschätzen. Damit Ihnen das nicht passiert, stellen wir Ihnen in diesem Kapitel die formalen Anforderungen der Unternehmen an Bewerbungsunterlagen vor.

Kurzbewerbung oder vollständige Bewerbungsunterlagen?

Bei Initiativbewerbungen können Sie sowohl Kurzbewerbungen als auch komplette Bewerbungsmappen versenden. Kurzbewerbungen bestehen aus einem Anschreiben und dem Lebenslauf **Die Form der** mit Foto. Es wird hier auf die Mappen, Arbeitszeugnisse, berufs**Kurzbewer-** qualifizierende Abschlüsse, Weiterbildungszertifikate und alle **bung** sonstigen Leistungsnachweise verzichtet. Kurzbewerbungen umfassen zwei bis drei DIN-A4-Seiten und sind deshalb kostengünstiger zu versenden als vollständige Bewerbungsunterlagen in einer Mappe.

Grundsätzlich empfehlen wir Ihnen, vollständige Bewer**Versenden Sie** bungsmappen zu versenden. So unterstreichen Sie, dass Ihnen **vollständige** die Bewerbung bei diesem Unternehmen besonders wichtig ist. **Bewerbungs-** Kurzbewerbungen erwecken schnell den Eindruck von Bewer**unterlagen** bungsrundschreiben. Personalverantwortliche könnten vermuten, dass Sie sich nicht gezielt beworben haben und Ihrer Bewerbung kritischer gegenüberstehen.

Kurzbewerbungen sind Pflicht, wenn die Unternehmensseite das ausdrücklich so wünscht. Vielleicht haben Sie auf der Homepage des Unternehmens einen entsprechenden Hinweis gefunden, oder man hat Sie in einem Telefongespräch oder bei einem persönlichen Kontakt darauf hingewiesen, dass zunächst eine Kurzversion Ihrer Bewerbungsunterlagen ausreichend ist.

Sinnvoll sind Kurzbewerbungen auch dann, wenn Sie keine näheren Informationen über den Arbeitgeber und Ihre Wunschposition recherchieren konnten, sich aber trotzdem bei dem Unternehmen ins Gespräch bringen wollen.

Der von sparsamen Initiativbewerbern gern vorgeschobene Kostenvorteil beim Versand von Kurzbewerbungen greift ins Leere. Bündeln Sie lieber Ihre Aktivitäten, als sich in einer Materialschlacht aufzureiben. Wenn Sie Ihre Initiativbewerbung mit der Suche nach Kontaktpersonen im Unternehmen beginnen, sie telefonisch vorbereiten, Anschreiben und Lebenslauf aussagekräftig ausarbeiten und gezielt vollständige Bewerbungsunterlagen verschicken, werden Sie mehr Erfolg haben, als wenn Sie Kurzbewerbungen als kostengünstige Massendrucksache in alle Winde verstreuen.

Bündeln Sie Ihre Aktivitäten

Was gehört in die Bewerbungsmappe?

Wenn Sie, wie von uns empfohlen, Ihre Initiativbewerbung mit vollständigen Bewerbungsunterlagen verschicken wollen, müssen Sie wissen, was im Einzelnen dazugehört:

- das Anschreiben,
- der Lebenslauf,
- das Bewerbungsfoto

sowie Kopien

Unterlagen für die vollständige Bewerbungsmappe

- von Arbeitszeugnissen und
- des berufsqualifizierenden Zeugnisses (Ausbildung oder Hochschuldiplom/-examen).

Hinzu kommen eventuell Kopien

- von Fortbildungsabschlüssen,
- von Bestätigungen über die Teilnahme an Weiterbildungsmaßnahmen und
- sonstiger Zertifikate (Sprachprüfungen, Computerkurse, Präsentationskurse und Ähnliches).

Unterlagen einsortieren

Sortieren Sie Unterlagen richtig ein

Ihre Unterlagen sortieren Sie in dieser Reihenfolge in die Bewerbungsmappe ein: Ganz oben liegt das Anschreiben, darunter der Lebenslauf mit aufgeklebtem Foto. Die übrigen Kopien sortieren Sie dahinter ein. Orientieren Sie sich dabei an dem Ausstellungsdatum der jeweiligen Urkunde. Beginnen Sie mit dem Aktuellsten, die Kopie der ältesten Urkunde liegt ganz unten. Machen Sie Personalverantwortlichen die Arbeit leicht: Die aktuellsten Unterlagen sind für den neuen Arbeitgeber die wichtigsten. Durch die rückwärts-chronologische Sortierung kann man Ihre Entwicklung mühelos nachvollziehen.

Die Bewerbungsmappe eines typischen Initiativbewerbers sieht dann so aus: Anschreiben, Lebenslauf mit Foto, Zwischenzeugnis des momentanen Arbeitgebers, Arbeitszeugnis des vorhergehenden Arbeitgebers, Ausbildungsabschluss. Die Kopien sonstiger Zertifikate werden danach chronologisch einsortiert.

Seien Sie wählerisch bei sonstigen Leistungsnachweisen. Sie sollten nur die Weiterbildungsveranstaltungen durch eine Kopie belegen, die beruflich für Sie verwertbar sein könnten.

Richtig ausgewählt

Beispiel

Ein Initiativbewerber, der sich für eine Stelle als Personalreferent bewirbt, hatte während der vergangenen Jahre folgende Kurse erfolgreich besucht:

- MS-Excel – Tabellenkalkulation für Fortgeschrittene
- Präsentationen mit PowerPoint erstellen
- Personalverwaltung unter SAP R/3
- Tiefenentspannung durch autogenes Training
- Rückenschule
- Business-Englisch für Fortgeschrittene

Für seine Initiativbewerbung ist besonders die Kopie des Zertifikats geeignet, das die Teilnahme an der Weiterbildungsmaßnahme Personalverwaltung unter SAP R/3 bestätigt. Allgemeine EDV-Kenntnisse (hier MS-Excel und PowerPoint) brauchen nur im Lebenslauf unter Zusatzqualifikationen genannt werden. Das Gleiche gilt für Sprachkenntnisse. Die anderen Seminare sind nicht berufsbezogen und sollten daher weggelassen werden.

Die richtige Auswahl von Weiterbildungszertifikaten ist ein wichtiger Baustein für das Gesamtbild der Bewerbungsmappe. Wir erleben immer wieder, dass Initiativbewerber sich mit ihren Unterlagen als vermeintliche Universalbewerber präsentieren, die für mehrere Positionen infrage kommen, aber für keine eigentlich richtig geeignet sind. Machen Sie es besser: Verdeutlichen Sie, dass Sie Wichtiges von Unwichtigem unterscheiden können und dass Sie sich zielgerichtet bewerben. **Wählen Sie Weiterbildungsnachweise sorgfältig aus**

Manche Personalverantwortliche legen Wert darauf, dass das Anschreiben nicht in die Bewerbungsmappe geklemmt oder womöglich gelocht und eingeheftet wird. Legen Sie das Anschreiben lose unter den Deckel der Bewerbungsmappe ein. Sie zeigen damit, dass Sie sich über juristische Vorgaben und die Arbeitsabläufe bei der Personalauswahl informiert haben. Zum einen hat die Trennung von Anschreiben und Bewerbungsmappe rechtliche Gründe. Das Anschreiben gehört dem Unternehmen, die Bewerbungsmappe und deren Inhalt bleibt weiterhin in Ihrem Besitz und kann bei einer Ablehnung zurückgefordert werden. Zum anderen werden Anschreiben und Mappe bei der Prüfung der Unterlagen oft getrennt. So verbleibt das Anschreiben bei der Personalabteilung und wird dort abgeheftet. Die Mappe wird an andere Entscheidungsträger, beispielsweise Fachabteilungen, Geschäftsleitung, Betriebsrat, weitergeleitet. **Legen Sie das Anschreiben lose auf**

Farbe und Form

Als Mappe eignen sich stabile Plastikhefter, wobei es egal ist, ob die Unterlagen gelocht und eingeheftet oder mit einer Klemmschiene zusammengehalten werden. Wählen Sie Bewerbungsmappen in neutralen und eher dunklen Farben, beispielsweise Blau, Schwarz oder Grau. Verschicken Sie keine Mappen in Reizfarben wie Rot, Gelb oder Lila. Einige Personalverantwortliche vermuten sonst, dass Sie sich als Paradiesvogel sehen und zu Auffälligkeiten neigen. Außerhalb der Kreativbranchen (Werbung, Film, Theater) werden Sie damit Akzeptanzprobleme bekommen.

Wählen Sie Bewerbungsmappen in eher dunklen Farben

Auch wenn sich immer mehr Firmen zur Schonung der Umwelt bekennen: Verwenden Sie keine Bewerbungsmappen aus Pappkarton, es sei denn, Sie bewerben sich bei einer Umweltstiftung, einer Naturschutzorganisation oder ähnlichen Institutionen. Dann müssen Sie Pappmappen verwenden. Das Gleiche gilt für Recyclingpapier mit Grauschleier. Verwenden Sie bis auf die genannten Ausnahmen normales weißes Schreibmaschinenpapier guter Qualität.

Die Ernsthaftigkeit Ihrer Bewerbung zeigt sich für Personalverantwortliche auch an der Mühe, die Sie sich bei der Aufbereitung Ihrer Bewerbungsmappe geben. Nehmen Sie für alle Unterlagen die gleiche Papiersorte, damit Ihre Mappe wie aus einem Guss wirkt. Haben Sie für den Lebenslauf eine andere Papiersorte als für das Anschreiben verwandt, werden Ihnen Personalverantwortliche einen lieblosen Umgang mit Arbeitsunterlagen unterstellen.

Erstellen Sie die Bewerbungsmappe aus einem Guss

Zum Thema Bewerbungsmappen und Umweltschutz noch Folgendes: Klarsichthüllen stören mehr als sie nützen. Die Unterlagen von interessanten Initiativbewerbern werden oft kopiert, um sie an die Fachabteilungen weiterzureichen. Klarsichthüllen stören den Einzelblatteinzug der Kopierer, und das Vervielfältigen Ihrer Bewerbung wird zum ungeliebten Geduldsspiel.

Fotokopien von Zeugnissen und sonstigen Leistungsnachweisen sollten Sie immer erstklassig anfertigen lassen.
Die billigen Kopien, mit Streifen oder Schatten, machen keinen guten Eindruck. Ihre Kopien sollten perfekt sein. Öko-
nomisches Kopieren, das heißt, Verkleinern der Vorlagen, sodass aus vier DIN-A4-Originalen plötzlich vier auf einem
Blatt angeordnete DIN-A6-Verkleinerungen werden, geht auf
Kosten der Übersichtlichkeit und Lesbarkeit und ist deshalb
nicht zu empfehlen. Kopieren Sie auch doppelseitig be-
druckte Originale immer nur einseitig. Da die Firmen Ihre
Unterlagen per Einzelblatteinzug vervielfältigen, würden die
auf der Rückseite abgebildeten Belege sonst untergehen. Die
Kopien brauchen nicht beglaubigt werden. Die einzige Ausnahme ist die Bewerbung um einen Arbeitsplatz im öffentlichen Dienst.

Verwenden Sie nur erst-klassige Kopien

Auf einen Blick

Richtig präsentieren
mit der Bewerbungsmappe

Im Blick

- Personalverantwortliche ziehen auch aus der Form der Aufbereitung Ihrer Bewerbungsunterlagen Schlüsse. Ihre Sorgfalt und Ihre Fähigkeit zur Konzentration auf das Wesentliche stehen auf dem Prüfstand.
- Versenden Sie grundsätzlich vollständige Initiativbewerbungen. Kurzbewerbungen sollten Sie nur abschicken, wenn dies
  ausdrücklich vom Unternehmen gewünscht wird.
- Eine vollständige Bewerbungsmappe enthält
  – das Anschreiben,
  – den Lebenslauf,
  – das Bewerbungsfoto,
  sowie Kopien
  – von Arbeitszeugnissen und

– des berufsqualifizierenden Zeugnisses (Ausbildung oder Hochschuldiplom/-examen).

  Hinzu kommen eventuell Kopien

  – von Fortbildungsabschlüssen,

  – von Bestätigungen über die Teilnahme an Weiterbildungsmaßnahmen und

  – sonstiger Zertifikate (Sprachprüfungen, Computerkurse, Präsentationskurse und Ähnliches).

- So werden die Unterlagen in die Mappe sortiert: Ganz oben liegt das Anschreiben, dann folgen der Lebenslauf mit Foto und die übrigen Kopien, die Sie anhand der Ausstellungsdaten einsortieren.

- Das Anschreiben gehört in die Mappe, wird aber lose hineingelegt, das heißt nicht gelocht und nicht eingeklemmt.

- Wählen Sie für Ihre Bewerbungsmappe eine angemessene Farbe. Reizfarben wie Rot, Gelb oder Lila stören manche Personalverantwortliche.

- Benutzen Sie keine Klarsichthüllen.

- Verwenden Sie nur gut lesbare Kopien. Die Kopien brauchen nicht beglaubigt werden (Ausnahme öffentlicher Dienst).

8

Initiativanschreiben: mit Profil zum Erfolg

Die Formulierung eines Anschreibens stellt Initiativbewerber meist vor große Probleme: Was soll ich schreiben? Wie stelle ich meine berufliche Entwicklung dar? Was darf ich nicht erwähnen? Wie schaffe ich es, auf den Punkt zu kommen? Mit einer guten inhaltlichen Ausgestaltung des Anschreibens werden Sie Personalverantwortliche für sich einnehmen und Ihrer Wunschposition einen entscheidenden Schritt näher kommen. In diesem Kapitel zeigen wir Ihnen, welche Fehler immer wieder gemacht werden und wie Sie es besser machen.

Das Anschreiben ist ein wichtiges Element in Ihrer Bewerbungsmappe. Hier erstellen Sie ein Kurzgutachten über Ihre berufliche Qualifikation. Initiativbewerber überzeugen Personalverantwortliche dann mit ihrem Anschreiben, wenn sie das eigene Profil so darstellen, dass ein Nutzen für das umworbene Unternehmen sichtbar wird.

Die meisten Initiativbewerber liefern mit ihrer Bewerbungsmappe Standardanschreiben ab, die inhaltsleer und abstrakt formuliert sind. Wer sein persönliches Profil nicht deutlich machen kann, wird Schiffbruch erleiden. Personalverantwortlichen sollte beim Lesen Ihres Anschreibens klar werden, dass eine intensive Auseinandersetzung mit Ihren eigenen beruflichen Wünschen und den persönlichen Fähigkeiten und fachlichen Stärken stattgefunden hat.

Erstellen Sie individuelle Anschreiben

Personalabteilungen klopfen das gelieferte Bewerbungsmaterial daraufhin ab, ob die Anforderungen der angestrebten Stelle erkannt wurden. Sie können auf keinen Fall erwarten, **Zeigen Sie** dass die Personalabteilung anhand Ihrer Unterlagen für Sie ein **Ihre Kompe-** Berufsprofil erstellt. Personalauswahl ist keine Berufsbera-**tenz** tung! Initiativbewerber müssen von sich aus deutlich machen, was sie bisher geleistet haben und welche Ziele sie für ihre weitere berufliche Zukunft haben. Ihr Anschreiben sollte Ihre Kompetenz zeigen und so viel Interesse bei Personalverantwortlichen wecken, dass Sie eine Einladung zum Vorstellungsgespräch erhalten.

Aus unserer Beratungspraxis

I can't get no satisfaction –
Der unzufriedene Zufriedenheitsberater

Beratung

Ein Kunde kam zu uns in die Beratung, weil seine bisherigen Bemühungen um eine berufliche Veränderung erfolglos geblieben waren. Schnell wurde deutlich, dass er wegen einer angespannten Atmosphäre am momentanen Arbeitsplatz in ein anderes Unternehmen wechseln wollte. Kollegen hatten durchgesetzt, dass alle Räume der Abteilung zu Nichtraucherzonen erklärt wurden. Unser Kunde, ein Raucher, fühlte sich dadurch unerträglich gegängelt, wollte es nun seinem Arbeitgeber zeigen und kündigen.

Mit seinen eigenen Stärken und beruflichen Erfolgen hatte sich unser Kandidat bisher nicht besonders intensiv auseinander gesetzt. Er war der Meinung, dass seine Berufsbezeichnung »Customer Satisfaction Consultant« aussagekräftig genug sei, um ihn für andere Unternehmen interessant zu machen. Seine Argumentation war: »Mit diesem schnieken und dynamisch klingenden Etikett zeigt sich doch, dass ich auf der Höhe der Zeit bin und mich in modernen Unternehmensstrukturen zurechtfinde.«

Dieses saloppe Statement hatte ihn aber nicht weitergebracht. Trotz mehrerer Initiativbewerbungen saß er immer noch als Raucher am Nichtraucher-Arbeitsplatz. Um das zu ändern, erarbeiteten wir mit ihm ein aussagekräftiges Profil, das die Tätigkeiten, die er wahrnahm, in den Vordergrund stellte. Dabei kam heraus, dass der Kunde als Referent unmittelbar dem Marketingdirektor zugeteilt war. Er leitete Projektteams und war mit der Verbesserung der Kundenkommunikation und der Kundenbindungsprogramme im Marketing beauftragt.

Mit seinem neuen, aussagekräftigen Profil im Initiativanschreiben stieg die Erfolgskurve seiner Bewerbungen sprunghaft an. Der Customer Satisfaction Consultant wurde zu mehreren Vorstellungsgesprächen eingeladen und entschied sich für eine neue Tätigkeit in der Tabakindustrie.

Fazit: Mit nichtssagenden Initiativanschreiben schaffen Bewerber es nicht, positive Reaktionen zu erzielen. Wer sich mit einer Initiativbewerbung ins Gespräch bringen will, muss ein Profil liefern. Der Wunsch, ein Unternehmen verlassen zu wollen, ist keine tragfähige Basis für eine Neueinstellung bei einem anderen Arbeitgeber.

Die inhaltliche Ausgestaltung Ihres Anschreibens ist entscheidend für den Bewerbungserfolg. Aus der Sicht von Personalverantwortlichen liefern Sie mit dem Anschreiben eine erste Ar-

Anschreiben = Arbeitsprobe

beitsprobe in Form eines Selbstgutachtens. Sie müssen zeigen, dass Sie wissen, was Sie in Ihrer Wunschposition erwartet, und bei der Aufbereitung Ihres Profils Wesentliches von Unwesentlichem unterscheiden können. Es kommt darauf an, die für eine Personalauswahl wichtigen Informationen aussagekräftig darzustellen und mit den Formulierungen auf den Punkt zu kommen.

Um sich ein optimales Anschreiben zu erarbeiten, müssen Sie sowohl die formale als auch die inhaltliche Seite meistern. **Überzeugungsarbeit im Anschreiben** Die richtige Form stellen wir Ihnen in einem Abschnitt weiter unten vor. Da aber die inhaltliche Überzeugungsarbeit entscheidend ist und Initiativbewerbern üblicherweise die größten Probleme bereitet, gehen wir zuerst auf die Ausformulierung von Anschreiben ein.

Tipps für Ihr Anschreiben

Wir werden Ihnen jetzt das nötige Werkzeug an die Hand geben, damit Sie sich mit Ihrem Initiativanschreiben überzeugend präsentieren können. Setzen Sie sich souverän in Szene: Gestalten Sie Ihr Anschreiben mithilfe unseres Aufbauschemas und unserer Regeln für die optimale Selbstdarstellung.

Aufbauschema für Anschreiben

Herkömmliche Anschreiben von Initiativbewerbern leiden darunter, dass sie oft als Nacherzählung ihres Lebenswegs angelegt werden. Bis die Personalverantwortlichen bei dem für Sie **Setzen Sie sich souverän in Szene** wichtigen Punkt – Ihrer momentanen Tätigkeit – angekommen sind, ist das Interesse oft schon erlahmt.

Anschreiben nach dem Muster »Ich interessiere mich für Ihr Unternehmen. Ich habe eine Ausbildung durchlaufen. Dann arbeitete ich bei der Firma Müller. Danach wechselte ich zur Firma Schmidt. Jetzt würde ich gern bei Ihnen arbeiten« sind nichtssagend und lassen kein besonderes Profil erkennen. Wie geht es besser?

Gewöhnen Sie sich daran, Ihr berufliches Profil in den Vordergrund zu stellen. In unserer Beratungspraxis haben wir ein Aufbauschema für Initiativbewerber entwickelt, das auch Sie für Ihr Anschreiben verwenden können:

Stellen Sie Ihr berufliches Profil in den Vordergrund

1. Heben Sie besondere Kenntnisse und Fähigkeiten hervor, die für Ihre Wunschposition wichtig sind.
2. Stellen Sie die Aufgaben, die Sie in Ihrer momentanen Position bearbeiten, so dar, dass sich ein Bezug zur Wunschposition ergibt.
3. Skizzieren Sie Ihre berufliche Entwicklung.

Heben Sie besondere Kenntnisse und Fähigkeiten hervor, die für Ihre Wunschposition wichtig sind: Beginnen Sie Ihr Anschreiben damit, dass Sie stichwortartig die Kompetenzen aufzählen, die es Ihnen ermöglichen, in Ihrer Wunschposition zu arbeiten. Wählen Sie die Kenntnisse und Fähigkeiten, die für die Ausübung der neuen Stelle elementar sind. Dabei muss es sich nicht um die Hauptaufgaben in Ihrer momentanen Position handeln. Sie können auch Erfahrungen aus Sonderaufgaben, projektbezogenen Tätigkeiten oder Weiterbildungsmaßnahmen aufführen. Es kommt darauf an, dass Sie aus dem Blickwinkel Ihrer Wunschposition heraus formulieren.

Das Profil der Wunschposition

»In meiner mehrjährigen Berufstätigkeit in der Kfz-Industrie habe ich umfassende Praxiserfahrung in den Bereichen Karosseriebau und Kunststofftechnik gesammelt. Die Beratung interner Engineering-Units ge-

Beispiel

hört schon seit längerem zu meinen Aufgaben. In einem Sonderprojekt habe ich meine Verantwortung auf den Bereich der Zuliefererintegration ausgeweitet. Daneben habe ich mich in der Moderation von Workshops weitergebildet.«

Beschreiben Sie Ihre momentane Position

Stellen Sie die Aufgaben, die Sie in Ihrer momentanen Position bearbeiten, so dar, dass sich ein Bezug zur Wunschposition ergibt: Nachdem Sie im ersten Schritt einen Aufriss Ihres Profils geliefert haben, ohne detailliert auf Ihre beruflichen Stationen einzugehen, sollten Sie jetzt Ihre momentane Position erläutern. Achten Sie darauf, dass Sie die Erfahrungen und Kenntnisse in den Vordergrund stellen, die auch in Ihrer Wunschposition zum Tragen kommen werden.

Aktuelle Aufgaben

Beispiel

»Momentan arbeite ich als Projektleiter im Bereich der Kunststofftechnik. Die Entwicklung innovativer Lösungen und deren konstruktive und fertigungstechnische Umsetzung ist mein Hauptaufgabenbereich. Dazu gehört die Koordination der einzelnen Engineering-Units und die umfassende Zusammenarbeit mit den anderen Unternehmensbereichen. Ich trage Führungsverantwortung für zehn Mitarbeiter. In einem Projekt zur Bauteilstandardisierung habe ich meine Erfahrung in der internen Beratung auf die Beratung von Zulieferern hinsichtlich Qualitätsstandards und Fertigungsinnovationen übertragen.«

Skizzieren Sie Ihre berufliche Entwicklung: Nennen Sie jetzt weitere Stationen Ihrer beruflichen Entwicklung und Ihre für den Berufseinstieg erworbene Qualifikation, also Ihre Ausbildung oder Ihr Studium. Gehen Sie dabei von Ihrer momentanen Position aus chronologisch rückwärts vor.

Die beruflichen Stationen

»Vor meiner Tätigkeit als Projektleiter habe ich als Konstruktions- und Berechnungsingenieur gearbeitet und Bauteile mittels 3D-CAD konstruiert. Ich habe mich schon damals immer wieder an abteilungsübergreifenden Projekten beteiligt, um die bessere Aufgabenkoordination voranzutreiben. Mit einem Studium des Maschinenbaus an der TU Braunschweig hatte ich mich für diese Einstiegsposition qualifiziert.«

Beispiel

Nachdem Sie unser Aufbauschema für Anschreiben kennen gelernt haben, kommt es darauf an, es mit Leben zu füllen. Welche Formulierungen Sie einsetzen sollten und welche besser nicht, erfahren Sie nun.

5 Regeln für die überzeugende Selbstdarstellung

Ihre Werbung in eigener Sache wird Ihnen gelingen, wenn Sie unsere Hinweise für die Ausformulierung Ihres Anschreibens beachten. Die Überzeugungsregeln, die wir in unserer Beratungspraxis entwickelt haben, können auch Sie nutzen:

Regel 1: Auf die Anforderungen der Wunschposition eingehen.
Regel 2: Individuelles Profil vermitteln.
Regel 3: Beispiele für persönliche Fähigkeiten geben.
Regel 4: Beschreiben statt bewerten.
Regel 5: Schlüsselbegriffe aus dem Tagesgeschäft verwenden.

So gelingt Ihnen die Werbung in eigener Sache

Auf die Anforderungen der Wunschposition eingehen: Ihr Anschreiben muss verdeutlichen, dass Sie sich gezielt auf die Wunschposition bewerben. Bewerbungsrundschreiben, die für eine möglichst große Zahl verschiedener Positionen geeignet sein sollen, führen nicht zum Erfolg.

Um auf die Anforderungen Ihrer Wunschposition eingehen zu können, müssen Sie Vorarbeit leisten. Sie können schließ-

Erstellen Sie ein Basisprofil Ihrer Wunschposition lich nicht wie bei einer »normalen« Bewerbung auf Stellenanzeigen und das darin geforderte Profil zurückgreifen. Daher müssen Sie das Anforderungsprofil bei Initiativbewerbungen zum großen Teil selbst definieren. Dabei kann es sehr hilfreich sein, Stellenanzeigen, in denen ähnliche Positionen beschrieben werden, zu sichten. Suchen Sie die gängigen Anforderungen heraus und fixieren Sie sie schriftlich. So erstellen Sie sich ein Basisprofil. Einzelne Punkte daraus sollten Sie in Ihrem Initiativanschreiben aufgreifen und beispielhaft belegen.

Beispiel

Anforderungen an eine Controllerin

Wenn eine Controllerin bei der Auswertung von Stellenanzeigen, die sie in Zeitungen oder Internet-Jobbörsen gefunden hat, öfter auf die folgenden Anforderungen stößt, sollte sie sie zunächst fixieren, beispielsweise so:

Basisprofil Controllerin: Ausarbeitung und Durchführung der jährlichen operativen Planung; Durchführung von Wirtschaftlichkeitsrechnungen; Planung und Analyse von Kostenarten; Vorbereitung des Berichtswesens; Koordination der Planungs- und Reportingprozesse.

Im Anschreiben braucht die Controllerin dann nicht zu oberflächlichen und nichtssagenden Sätzen greifen, wie: »Ich interessiere mich sehr für eine Arbeit als Controllerin in Ihrem Unternehmen. Ich kann mir sehr gut vorstellen, bei Ihnen im Controlling zu arbeiten. Erfahrungen bringe ich mit.«

Sie kann stattdessen im Anschreiben auf die Anforderungen aus ihrem Basisprofil eingehen:»Ich habe mehrere Jahre als Controllerin in einem mittelständischen Unternehmen gearbeitet. Die Durchführung von Wirtschaftlichkeitsrechnungen, die Planung und Analyse von Kostenarten sowie die Koordination der Planungs- und Reportingprozesse sind mir vertraut.«

Individuelles Profil vermitteln: Von Profillosigkeit sprechen Personalverantwortliche immer dann, wenn es Bewerbern nicht gelingt, aus der Masse positiv herauszustechen. Aus unserer Beratungstätigkeit wissen wir, dass dies vorrangig ein Problem der Darstellung der eigenen Kenntnisse und Fähigkeiten ist. Jeder Initiativbewerber hat etwas Besonderes zu bieten, das ihn von anderen Bewerbern unterscheidet.

Nehmen Sie Ihre Bestandsaufnahme zur Hand und arbeiten Sie die Verbindungen, die zwischen dem Basisprofil Ihrer Wunschposition und Ihren bisherigen Tätigkeiten bestehen, heraus. Gehen Sie beispielsweise auf Branchenerfahrung, Berührungspunkte mit der von Ihnen angestrebten Wunschposition oder interessante Zusatzqualifikationen ein.

Individuelles Profil eines Grafikdesigners

Mit der Selbstdarstellung »Ich möchte unbedingt bei Ihnen als Grafikdesigner arbeiten« ist die Chance, im Anschreiben ein individuelles Profil sichtbar werden zu lassen, verspielt. Die besondere Qualifikation eines Initiativbewerbers wird eher durch diese Aussagen deutlich: »Als Grafikdesigner bei der Food AG war ich für Verpackungsdesigns verantwortlich und habe mehrere Markteinführungen begleitet. Dabei habe ich die Erkenntnisse aus der Marktforschung ins Design umgesetzt.«

Beispiele für persönliche Fähigkeiten geben: Vermeiden Sie es, im Anschreiben mit abstrakten Selbstbeschreibungen zu arbeiten. Leerfloskeln, unter denen sich Personalverantwortliche alles und nichts vorstellen können, bringen Sie nicht weiter.

Sätze wie: »Ich bin motiviert, belastbar und offen für Neues«, »Gern möchte ich in Ihrem dynamischen Team engagiert mitarbeiten« oder »Besonders ausgeprägt ist meine Flexibilität und meine Kontaktfreude« sind für Personalverantwortliche Nullaussagen. Sie müssen Beispiele angeben, aus denen deutlich wird, dass Sie über hilfreiche persönliche Fähigkeiten verfügen.

Machen Sie persönliche Fähigkeiten an Beispielen fest

Wenn Sie im Initiativanschreiben berufliche Situationen benennen, die Sie mithilfe Ihrer persönlichen Fähigkeiten bewältigt haben, ordnen Personalverantwortliche Ihnen die geforderten Fähigkeiten von sich aus zu.

Persönliche Fähigkeiten einer Projektleiterin

Beispiel

Sieht das Basisprofil so aus, dass die meisten Unternehmen an die Position einer Projektleiterin bestimmte Forderungen nach persönlichen Fähigkeiten koppeln, hilft es nicht, im Anschreiben einfach zu behaupten: »Ich bin kommunikativ und denke flexibel.« Besser ist ein aussagekräftiges Beispiel: »Als Projektleiterin in der Produktentwicklung war ich das Bindeglied zwischen den einzelnen Abteilungen. Meine Aufgabe bestand darin, die jeweiligen Vorschläge in ein realisierbares Konzept umzusetzen.«

Beschreiben statt bewerten: Manche Initiativbewerber neigen in ihren Anschreiben zur Selbstanklage und Selbstkritik.

Die richtige Balance zwischen Selbstkritik und Eigenlob

Immer wieder werden vorhandene Kenntnisse abgewertet oder relativiert. Häufig ist auch eine übertriebene Ehrlichkeit festzustellen. Probleme mit dem Chef oder Kollegen gehören aber nicht ins Anschreiben. Mit Sätzen wie: »Mein Vorgesetzter stand nie hinter mir«; »In unserer Firma wurde gemobbt« oder »Mein Chef war frauenfeindlich eingestellt.« schaden Sie eher sich selbst, als dass Sie Verständnis wecken.

Wenn Bewerber Schwierigkeiten, Reibungen und Probleme thematisieren, wird das Bild von ihnen negativ eingetrübt. Personalverantwortliche machen sich sofort Gedanken über die Rolle, die der Bewerber in der Problemsituation gespielt hat: »War er nicht vielleicht mitschuldig an der schwierigen Situation?«; »Hätte er dem Streit aus dem Weg gehen können?« oder »Ist sie vielleicht eine Intrigantin, die Zwietracht unter den Kollegen sät?«

Andere Initiativbewerber werten sich nicht selbst ab, sondern neigen stattdessen eher zum Größenwahn. Sie stellen sich im Initiativanschreiben als Universalmittel gegen alle Probleme der Arbeitswelt dar. Typische Formulierungen lauten dann: »Ich bin die Lösung für alle Ihre Probleme«; »Sämtliche Schwierigkeiten, mit denen ich am Arbeitsplatz konfrontiert wurde, habe ich im Handumdrehen aus dem Weg geräumt«; »Sie können mich im Marketing genauso wie im Vertrieb einsetzen, der Einkauf macht mir ebenso wenig Schwierigkeiten wie der Verkauf«; »Vor mir ist noch jeder meiner Verhandlungspartner in die Knie gegangen« oder »Mein hervorragendes analytisches Geschick befähigt mich zu einer Managementposition.«

Nehmen Sie Personalverantwortliche für sich ein

Personalverantwortliche werden Initiativbewerber, die zur Übertreibung neigen, als unglaubwürdig einstufen. Sie befürchten, dass es Probleme bei der Zusammenarbeit mit anderen Kollegen geben wird. Entsteht der Eindruck von mangelnder Fähigkeit zur Selbstreflexion, wird der Bewerber schnell in die Schublade »schwieriger Mensch« gesteckt.

Sowohl geäußerte (Selbst-)Kritik als auch übertriebene Selbstbeweihräucherung fällt immer auf den Bewerber zurück. Beschreiben Sie deshalb Ihre beruflichen Erfahrungen und Kenntnisse wertfrei und neutral.

Neutrale Beschreibungen

Ungünstige Formulierung: »Ich habe an meinem alten Arbeitsplatz keinerlei Unterstützung erhalten und musste mir alles selbst beibringen.«
Neutrale Umschreibung: »Ich habe mich ständig weitergebildet.«

Ungünstige Formulierung: »Mein Vorgesetzter hat mich ständig überfordert und mir unzumutbare Überstunden aufgehalst.«
Neutrale Umschreibung: »Ich konnte immer wieder Sonderaufgaben übernehmen.«

Beispiele

Ungünstige Formulierung: »An meinem alten Arbeitsplatz arbeitete jeder gegen jeden; es gab keinen Zusammenhalt im Kollegenkreis.«
Neutrale Umschreibung: »In meiner früheren Tätigkeit stand das eigenverantwortliche Arbeiten im Vordergrund.«

Üben Sie die neutrale Formulierung Üben Sie jetzt die neutrale Formulierung Ihrer Kompetenz. Nehmen Sie Ihre Bestandsaufnahme zur Hand, und machen Sie unsere Übung »Erfahrungen beschreiben«. So umgehen Sie die Bewertungsfalle im Initiativanschreiben.

Erfahrungen beschreiben

Übung

Üben Sie, die wesentlichen Tätigkeiten Ihrer beruflichen Stationen schlagwortartig und ohne Eigenbewertung aufzuzählen. Verwenden Sie dabei Formulierungen wie:

- »Ich habe . . . . gemacht.«
- »Ich habe . . . . organisiert.«
- »Ich war verantwortlich für . . . .«
- »Ich habe die Aufgaben eines . . . . wahrgenommen.«
- »Ich habe an . . . . teilgenommen.«
- »Ich habe am Projekt . . . . mitgearbeitet.«
- »Ich habe als . . . . die Bereiche . . . . und . . . . kennen gelernt.«
- »In meiner Tätigkeit als . . . . habe ich . . . . bearbeitet.«
- »Ich verfüge über Kenntnisse in . . . . und . . . .«
- »Bei meinem früheren Arbeitgeber war ich für . . . . . . und . . . . zuständig.«

- »Ich habe mir in einer Weiterbildungsmaßnahme die Kenntnisse . . . . und . . . . angeeignet.«
- »In der Fortbildung zur . . . . habe ich mich mit . . . . und . . . . auseinander gesetzt.«
- »Durch meine Erfolge in . . . . konnte ich mich für den Aufstieg zum . . . . qualifizieren.«

Schlüsselbegriffe aus dem Tagesgeschäft verwenden: Personalverantwortliche bevorzugen Bewerber, die wissen, was in Ihrer Wunschposition verlangt wird. Initiativbewerber, die punkten wollen, müssen in ihrem Anschreiben Schlüsselbegriffe aus dem Tagesgeschäft benutzen, die Ihre beruflichen Aufgaben kennzeichnen.

Alle Menschen reagieren auf bestimmte Schlüsselbegriffe und Schlagworte. Um nicht in Informationen zu ersticken, brauchen wir Strukturen, die uns dabei helfen, diese Informationen zu selektieren. Genau so geht es Personalverantwortlichen bei der Suche nach der richtigen Bewerberin beziehungsweise dem richtigen Bewerber. Falsche Stellenbesetzungen sind teuer und werden später den Entscheidungsträgern angelastet. Deshalb achten die Personalverantwortlichen darauf, dass sie nur solche Bewerber einstellen, die klar belegen können, dass sie die Anforderungen am neuen Arbeitsplatz erfüllen werden, weil sie entsprechende berufliche Erfahrungen mitbringen. Schlüsselbegriffe aus dem Tagesgeschäft sind bei der Ausgestaltung des Anschreibens der Joker, mit dem sich Initiativbewerber entscheidende Vorteile sichern können.

Schlüsselbegriffe helfen, Informationen zu strukturieren

Sie finden die für Ihr Berufsfeld wichtigen Schlüsselbegriffe und Schlagworte in Stellenanzeigen in Printmedien und im Internet.

Schlüsselbegriffe herausfinden

Ein Mitarbeiter im Vertriebsaußendienst möchte sich auf die Stelle eines Account Managers bewerben. In Stellenanzeigen findet er für die Darstellung seiner bisherigen Tätigkeiten folgende Schlüsselbegriffe und Schlagworte:

- Neukundengewinnung
- Kundenbetreuung
- Verkaufspräsentation
- Beratung
- Marktanalyse
- Angebotserstellung
- Wettbewerbervergleiche
- Analyse der Kundenwünsche
- Workshop-Durchführung
- Mitarbeitertraining
- Produktschulung
- Verkaufsförderung
- Marktbeobachtung
- Umsetzung von Marketingmaßnahmen
- Zielgruppendefinition
- Kundenpflege
- Erarbeitung von Vertriebsstrategien
- Großkundenbetreuung
- Werbemitteleinsatz
- Entwicklung von Planungs- und Steuerungssystemen
- Erschließung neuer Vertriebskanäle
- Unterstützung des Direktvertriebs
- Messedurchführung
- Kongressplanung
- Realisierung von Vertriebszielen
- Kunden- und Gebietsstrukturierung
- Gestaltung der Preis- und Konditionenpolitik
- Erstellung von Umsatzprognosen
- Verkaufsprogramm entwickeln
- Markteinführung

Beschreiben Sie Ihre beruflichen Erfahrungen in Stichworten

Nun geht es darum, diese Schlüsselbegriffe und Schlagworte für Ihr Anschreiben nutzbar zu machen. Die stichwortartige Aufzählung von beruflichen Erfahrungen vermittelt Personalverantwortlichen innerhalb kurzer Zeit wichtige Informationen über Ihr Bewerberprofil. Dem Mitarbeiter im Vertriebsaußendienst stehen hier dreißig Begriffe zur Verfügung, mit denen er sich darstellen kann. Daraus muss er die zur neuen

Position passenden Schlagworte auswählen und in Satzform bringen. Das könnte so aussehen:

Selbstbeschreibungen mit Schlüsselbegriffen

- »Ich bin momentan verantwortlich für die Neuakquisition, die Kundenbetreuung und die Kunden- und Gebietsstrukturierung.«
- »Neben meiner Tätigkeit im Außendienst habe ich Umsatzprognosen erstellt, Verkaufsprogramme entwickelt und Maßnahmen der Verkaufsförderung umgesetzt.«
- »Die Markteinführung von Produkten und deren Vorstellung auf Messen und Fachkongressen habe ich in Projektgruppen mitbegleitet.«

Die prägnante Darstellung Ihres Profils mit Schlüsselbegriffen und Schlagworten ist der beste Weg, um bei Personalverantwortlichen Aufmerksamkeit zu erzielen. In unserer Übung »Schlüsselbegriffe und Schlagworte für Ihr Profil« werden Sie sich einen Fundus an Etikettierungen erarbeiten. So können Sie im Bewerbungsverfahren mit hoher Informationsdichte für sich werben.

Schlüsselbegriffe und Schlagworte für Ihr Profil

Suchen Sie die für Ihr Tätigkeitsfeld geeigneten Schlüsselbegriffe und Schlagworte heraus. Halten Sie sich dabei nicht zurück, schreiben Sie alle Begriffe auf, die Ihre Tätigkeiten charakterisieren. Ihre Schlüsselbegriffe und Schlagworte:

1.	16. . . . .
2.	17. . . . .
3.	18. . . . .
4.	19. . . . .
5.	20. . . . .
6.	21 . . . .
7.	22. . . . .
8.	23. . . . .
9.	24. . . . .
10.	25. . . . .
11.	26. . . . .
12.	27. . . . .
13.	28. . . . .
14.	29. . . . .
15.	30. . . . .

Formulieren Sie nun drei Sätze mit jeweils zwei bis drei Schlagworten. So erarbeiten Sie sich die Fähigkeit, mit großer Informationsdichte zu kommunizieren.

1. »Ich bin verantwortlich für (Schlagwort), (Schlagwort) und (Schlagwort).«
2. »Zu meinen Aufgaben gehört (Schlagwort), (Schlagwort) und (Schlagwort).«
3. »Ich habe (Schlagwort), (Schlagwort) und (Schlagwort) betreut.«

Die richtige Form des Anschreibens

Nachdem Sie nun wissen, wie Sie Ihr Initiativanschreiben inhaltlich ausgestalten können, kommen wir nun zur formalen

Seite. Diese hängt davon ab, wie viel Text Sie unterbringen wol- **Wie viel Text**
len. Wenn Sie Ihre Fähigkeiten und Kenntnisse knapp darstel- **wollen Sie**
len können, sollten Sie Ihr Anschreiben in dieser Form gestal- **unterbringen?**
ten:

Muster für die äußere Form eines kurzen
Anschreibens

Vorname und Nachname
Straße und Hausnummer
Postleitzahl und Wohnort
Telefonnummer
(eventuell Faxnummer)
(eventuell E-Mail-Adresse)

Firma (mit richtiger Rechtsform)
Abteilung
Name der Ansprechpartnerin/des Ansprechpartners
Straße und Hausnummer oder Postfach
Postleitzahl und Ort

                                             Ort, Datum

Betreffzeile (Wunschposition aufführen)   Kurzes
Bezugzeile (auf Telefonat oder persönlichen Kontakt hinweisen)   Anschreiben

(Persönliche) Anrede,

Ihr Text Text Text Text Text Text Text Text Text Text Text Text
Text Text Text Text Text Text Text Text Text Text Text Text Text
Text Text Text Text Text Text TextText Text Text Text Text Text
Text Text Text

Text Text Text Text Text Text Text Text Text Text Text Text Text
Text Text Text Text Text Text Text Text Text Text Text Text Text

Text Text Text Text Text Text Text Text Text Text Text Text Text Text Text Text Text Text Text Text

Text Text Text Text Text Text Text Text Text Text Text Text Text Text Text Text Text Text Text Text Text Text Text Text Text Text Text Text Text Text Text Text Text Text Text Text Text Text Text Text Text Text Text Text Text Text Text Text Text Text Text Text Text Text Text Text

Mit freundlichen Grüßen

eigenhändige Unterschrift

Kompakt und informativ Wenn Sie Ihre beruflichen Qualifikationen umfassender darstellen wollen, brauchen Sie mehr Platz für den Textblock. Wir empfehlen Ihnen bei längeren Anschreiben diese Form:

Muster für die äußere Form eines längeren Anschreibens

Firma (mit richtiger Rechtsform)	Ihr Vorname und Nachname
Abteilung	
Name der Ansprechpartnerin/	Ihre Straße und
des Ansprechpartners	Hausnummer
Straße und Hausnummer	Ihre Postleitzahl und
oder Postfach	Wohnort
Postleitzahl und Ort	
	Ihre Telefonnummer
	(eventuell Ihre Faxnummer)
	(eventuell Ihre E-Mail-Adresse)
	Ort, Datum

Betreffzeile (Wunschposition aufführen)
Bezugzeile (auf Telefonat oder persönlichen Kontakt hinweisen)

(Persönliche) Anrede,

Ihr Text Text Text Text Text Text Text Text Text Text Text Text
Text Text Text Text Text Text Text Text Text Text Text Text
Text Text Text Text Text Text Text Text Text Text Text Text
Text Text Text Text Text Text Text Text Text Text Text Text
Text Text Text Text Text Text Text Text Text Text Text Text
Text Text Text

Text Text Text Text Text Text Text Text Text Text Text Text Text
Text Text Text Text Text Text Text Text Text Text Text Text Text
Text Text Text Text Text Text Text Text Text Text Text Text Text
Text Text Text Text Text Text Text Text Text Text Text Text Text
Text Text Text Text Text Text Text Text Text Text Text Text Text
Text Text Text Text Text Text Text Text Text Text Text Text Text
Text Text Text Text Text Text

Text Text Text Text Text Text Text Text Text Text Text Text Text
Text Text Text Text Text Text Text Text Text Text Text Text Text
Text Text Text Text Text Text Text Text Text Text Text Text Text
Text Text Text Text Text Text Text Text Text Text Text Text Text
Text Text Text Text Text Text Text Text Text Text Text Text Text
Text Text Text Text Text Text Text Text Text Text Text Text Text
Text Text Text Text Text Text

Mit freundlichen Grüßen

eigenhändige Unterschrift

Sie sehen an unseren Beispielen, dass Sie mehrere Möglichkeiten bei der äußeren Form des Anschreibens haben. Entscheidend sind die Übersichtlichkeit und eine gute Strukturierung.

Es gibt keine bindende Vorschrift der Personalabteilungen, nur eine DIN-A4-Seite abzuliefern. Aus Gründen der Prüfungsfreundlichkeit sollten Sie jedoch versuchen, Ihr Initiativanschreiben auf eine DIN-A4-Seite zu beschränken. Letztendlich ist aber die aussagekräftige Darstellung Ihrer beruflichen Qualifikationen der entscheidende Maßstab für den Umfang Ihres Anschreibens.

Eine Seite ist perfekt

Formale Fehler

In der Firmenanschrift (Firmenname, Abteilung, Ansprechpartner, Straße und Hausnummer/Postfach, PLZ und Ort) dürfen auf keinen Fall Fehler auftauchen. Geben Sie die Rechtsform der Firma (AG, GmbH, GmbH & Co. KG, KGaA) unbedingt richtig an. Aus dem Umgang mit den Details der Firmenanschrift ziehen Personalverantwortliche bereits erste Schlüsse auf Ihre sorgfältige Arbeitsweise.

Berücksichtigen Sie, dass die Abkürzungen »z. Hd.«, »z. H.« in der Zeile Ansprechpartner/in nicht mehr vorangestellt werden. Durch dieses kleine Detail würde Ihr Anschreiben einen leicht antiquierten Touch bekommen.

Betreff- und Bezugzeile sind in Ihrem Anschreiben obligatorisch. In die Betreffzeile, die über der Bezugzeile steht, gehört die Position, auf die Sie sich bewerben. In der Bezugzeile Ihres Anschreibens verweisen Sie auf ein vorab geführtes Telefongespräch oder einen persönlichen Kontakt (Messe, Kongress oder Ähnliches) mit Datumsangabe. Die vorangestellten Worte »Betreff« und »Bezug« beziehungsweise deren Abkürzungen »Betr.« und »Bzg.« lassen Sie weg.

Geben Sie den Betreff und den Bezug an

Anschreiben, die mit »Sehr geehrte Damen und Herren« beginnen, weisen darauf hin, dass Sie im Vorfeld wenig Informationen eingeholt haben. Für Initiativbewerbungen sollten Sie unbedingt einen konkreten Ansprechpartner im Unternehmen gefunden haben. Falsch geschriebene Namen führen zum Punktabzug. Falls Sie unsicher sind, wie sich der Name Ihrer Kontaktperson schreibt, klären Sie das durch einen kurzen Anruf in der Telefonzentrale des Unternehmens. Die korrekte persönliche Anrede bringt Ihnen den ersten Pluspunkt für Ihre Initiativbewerbung.

Lange verschachtelte Sätze im Anschreiben sind schlecht lesbar. Verwenden Sie kurze Sätze und gliedern Sie den Text in thematische Blöcke. Ein Anschreiben, das aus einem einzigen Absatz besteht, ist eine Zumutung für den Leser und schwer verständlich. Schaffen Sie eine lesefreundliche Struktur und ermöglichen Sie Personalverantwortlichen, die wesentlichen Inhalte auf einen Blick zu erfassen.

Strukturieren Sie Ihren Text in Blöcke

Der Einzug des Computers in die Erstellung von Bewerbungsunterlagen hat viele Vorteile mit sich gebracht, aber auch neue Fehlerquellen. Verzichten Sie auf zu kleine oder schlecht lesbare Schrifttypen. Erliegen Sie nicht der Versuchung, Ihr Anschreiben in einer Schriftgröße, die nur mit der Lupe zu entziffern ist, zu verfassen, um möglichst viel Text auf einer Seite unterzubringen. Wählen Sie eine Schriftgröße von mindestens 11, besser 12 Punkt. Die von Ihnen gewählte Schrifttype sollte klassisch sein, also Serifen enthalten (Times, Courier). Serifenfreie Schriften wie Arial sind bei einem längerem Text schwer zu lesen.

Spielereien mit Zeichenformatierungen wie kursiv, fett, unterstrichen, doppelt unterstrichen und gerahmte Absätze dokumentieren lediglich das Leistungsvermögen Ihres Textverarbeitungsprogramms, aber nicht Ihr eigenes. Verfallen Sie nicht in Spielereien, die die Lesbarkeit Ihres Anschreibens beeinträchtigen.

Die Lesbarkeit steht im Vordergrund

Aus der Arbeit mit dem PC hat sich ein weiterer typischer Fehler entwickelt. Firmennamen werden per Textbaustein im Kopf des Anschreibens und im Anschreiben selbst verwandt. Manchmal werden jedoch nicht alle Textbausteine ausgewechselt. Kontrollieren Sie Ihr Initiativanschreiben vor dem Abschicken noch einmal gründlich. Wenn Sie im Adresskopf ein anderes Unternehmen als im Text selbst oder auf dem Briefumschlag angeben, haben Sie das Rennen verloren.

Führen Sie eine sorgfältige Endkontrolle durch

Als Bewerbungsberater lesen wir regelmäßig die Bewerbungsunterlagen unserer Kunden und haben noch nie ein Anschreiben vorgelegt bekommen, bei dem wir keine Rechtschreib- oder Kommafehler gefunden hätten. Ein bis zwei Fehler werden vielleicht noch akzeptiert; darüber hinaus wird es kritisch für Sie. Da man eigene Fehler oft noch beim dritten Lesen übersieht, sollten Sie Ihre Unterlagen zur Korrektur auf jeden Fall zuvor einem Freund oder Bekannten geben.

Auf einen Blick

Initiativanschreiben: mit Profil zum Erfolg

Im Blick

- Ihr Anschreiben ist ein Kurzgutachten über Ihre beruflichen Qualifikationen. Inhaltsleere und abstrakte Formulierungen machen das Profil des Initiativbewerbers nicht deutlich.
- Versenden Sie nur aussagekräftige Initiativanschreiben. Personalauswahl ist keine Berufsberatung. Bewerber müssen überzeugend darlegen, dass sie sich mit ihren beruflichen Wünschen und Stärken auseinander gesetzt haben.
- Ihr Anschreiben ist eine erste Arbeitsprobe. Zeigen Sie, dass Sie Informationen auf den Punkt bringen und Wichtiges von Unwichtigem unterscheiden können.
- Bauen Sie Ihr Anschreiben nach dem folgenden Schema auf:
  - Heben Sie besondere Kenntnisse und Fähigkeiten hervor, die für Ihre Wunschposition wichtig sind.
  - Stellen Sie die Aufgaben, die Sie in Ihrer momentanen Position bearbeiten, so dar, dass sich ein Bezug zur Wunschposition ergibt.
  - Skizzieren Sie Ihre berufliche Entwicklung.

- Gehen Sie auf die Anforderungen der Wunschposition ein. Bewerbungsrundschreiben führen nicht zum Erfolg.
- Machen Sie Ihre persönlichen Fähigkeiten anhand von Beispielen deutlich. Verzichten Sie auf abstrakte Leerfloskeln.
- Überlassen Sie die Bewertung Ihrer Fähigkeiten den Personalverantwortlichen. Beschreiben Sie Ihre bisherigen Tätigkeiten neutral.
- Bewerber, die Schwierigkeiten und Probleme an früheren Arbeitsplätzen thematisieren, stellen sich selbst in ein schlechtes Licht. Auch Selbstüberschätzung wird Personalverantwortliche an den Bewerbern zweifeln lassen.
- Verfassen Sie Ihr Initiativanschreiben mit hoher Informationsdichte: Verwenden Sie Schlüsselbegriffe aus dem Tagesgeschäft.
- Ihr Anschreiben sollte in der Regel nicht länger als eine DIN-A4-Seite sein.
- Geben Sie die korrekte Firmenanschrift mit der richtigen Rechtsform an.
- Schreiben Sie in die Betreffzeile die Position, für die Sie sich bewerben. Verweisen Sie in der Bezugzeile auf vorab geführte Telefongespräche oder persönliche Kontakte.
- Gliedern Sie Ihr Anschreiben in Blöcke.
- Achten Sie auf Ihre Rechtschreibung: Lassen Sie Ihr Anschreiben von einem Freund oder Bekannten Korrektur lesen.

9

Der Lebenslauf:
übersichtlich und aussagekräftig

Sorgen Sie dafür, dass das Interesse an Ihrer Initiativbewerbung durch den Lebenslauf verstärkt wird. Unterstützen Sie die Angaben, die Sie im Anschreiben gemacht haben, durch die tätigkeitsbezogene Ausgestaltung Ihres Lebenslaufs. Personalverantwortliche müssen auf einen Blick erfassen können, was Sie an beruflichen Qualifikationen und Erfahrungen mitbringen.

Bei Initiativbewerbungen ist die Einheit aus Anschreiben und Lebenslauf besonders wichtig. Die Angaben, die Sie im Anschreiben gemacht haben, müssen durch den Lebenslauf unterstützt werden. Gehen Sie auf Ihre Berufserfahrung und Ihre beruflichen Qualifikationen ein, indem Sie tätigkeitsbezogen argumentieren.

Bringen Sie Ihren Lebenslauf auf den Punkt   Immer wieder verschicken Initiativbewerber Lebensläufe, aus denen zwar die Stationen ihres Lebens deutlich werden, die aber nichts darüber aussagen, was der Bewerber in den einzelnen Abschnitten seines Berufslebens gemacht hat. Welche beruflichen Aufgaben bearbeitet wurden, wie die Erfolge ausgesehen haben und inwieweit das berufliche Profil seit dem Berufseinstieg ausgebaut wurde, bleibt unklar. Gerade diese Punkte interessieren Personalverantwortliche aber besonders. Erst wenn ein individuelles Profil ersichtlich wird, sind Personalverantwortliche dazu bereit, über Einsatzmöglichkeiten im Unternehmen nachzudenken.

Verwenden Sie auf die Ausformulierung Ihres Lebenslaufs genauso viel Mühe wie auf Ihr Initiativanschreiben. Versenden

Sie niemals Standardlebensläufe, sondern schneiden Sie den Lebenslauf genauso wie das Anschreiben auf die Wunschposition zu. Sie haben bei der Darstellung Ihrer Kenntnisse und Fähigkeiten einen gewissen Spielraum, den Sie zu Ihren Gunsten nutzen sollten. Stellen Sie Ihre bisherige Berufstätigkeit strategisch dar: Heben Sie die Erfahrungen, die Ihnen auch in Ihrer Wunschposition nützlich sein werden, hervor.

Pluspunkte durch einen informativen Lebenslauf

Die Lektüre Ihres Lebenslaufs sollte einen nachhaltigen Eindruck hinterlassen, sonst haben Sie die Chance auf eine Einladung zum Vorstellungsgespräch leichtfertig vertan.

Ein Blick auf unsere ausformulierten Beispiellebensläufe im Praxisteil gibt Ihnen einen Eindruck davon, wie man sich mit einem gut gegliederten und informativ gestalteten Lebenslauf positiv in Szene setzt. Die Beispiellebensläufe haben wir anhand unseres Musterlebenslaufs ausgearbeitet. Auch Sie können sich an unserer Vorlage orientieren, Tipps für die Detailarbeit bekommen Sie im Anschluss.

Der Musterlebenslauf

Vorname Name
Straße Hausnummer
PLZ/Ort
Telefon
E-Mail-Adresse

Porträt-Farbfoto
des Bewerbers

Lebenslauf

Persönliche Daten
geb. am 00.00.0000 in . . . . (Ort)

Familienstand: . . . . (ledig/verheiratet/geschieden/verwitwet)

Berufstätigkeit

00/0000 – heute	(derzeitige Position) Unternehmen, Ort, (Branche) Unternehmensbereich/ Abteilung, Position, Aufgaben
00/0000 – 00/0000	(vorherige Position) Unternehmen, Ort, (Branche) Unternehmensbereich/ Abteilung, Position, Aufgaben
00/0000 – 00/0000	(Einstiegsposition) Unternehmen, Ort, (Branche) Unternehmensbereich/ Abteilung, Position, Aufgaben

Studium/Ausbildung

00/0000 – 00/0000	Studium, Hochschule, Schwerpunkt
Tagesdatum	Studienabschluss (Diplom, Magister, Examen)
00/0000 – 00/0000	Unternehmen, Ort, Ausbildung zur/zum …
Tagesdatum	Berufsbezeichnung

Schulabschluss, Wehr-/Zivildienst, Soziales Jahr

00/0000 – 00/0000	Institution, Ort, Wehr-/Zivildienst, Soziales Jahr
Tagesdatum	Schulabschluss, Schule

Weiterbildung, Sonstiges (Ehrenämter)

00/0000 – 00/0000	Institution, Kurs
seit 00/0000	Institution/Verein, Ehrenamt/ Mitgliedschaft

Zusatzqualifikationen

EDV-Kenntnisse:	Betriebssysteme (Bewertung) Anwendungen (Bewertung) Programmiersprachen (Bewertung) Spezialsoftware (Bewertung)
Sprachen:	Sprache 1 (Bewertung) Sprache 2 (Bewertung)

| Ort, Datum | *Unterschrift* |
| | (ausgeschriebener Vor- und Zuname) |

Klare Gliederung des Lebenslaufs

Personalverantwortliche werden sich nicht die Mühe machen, aus einem Datenbrei die für sie wesentlichen Informationen herauszufiltern. Gliedern Sie Ihren Lebenslauf, damit die für die Wunschposition relevanten Informationen dem Leser sofort ins Auge stechen. Bilden Sie wie in unserem Muster Blöcke, die Sie dann Schritt für Schritt mit Ihren Daten füllen. Achten Sie besonders darauf, dass Sie Ihre bisherigen beruflichen Erfahrungen herausstellen. Der Block Berufstätigkeit, der gleich im Anschluss an die Angabe Ihrer persönlichen Daten erfolgt, sollte deshalb eine zentrale Rolle in Ihrem Lebenslauf spielen.

Relevante Informationen sollten schnell erkennbar sein

Liefern Sie mit Ihrem Lebenslauf keine Nacherzählung Ihres bisherigen Werdegangs. Lebensläufe nach dem Muster »Ich wurde geboren, ging zur Schule, machte eine Ausbildung, war bei der Bundeswehr, arbeitete als ..., danach als ...; meine Hobbys sind ...« langweilen Personalverantwortliche schnell. Die für eine Einstellungsentscheidung relevanten Informationen, nämlich die bisherigen beruflichen Erfahrungen, gehen bei diesem Aufbau unter und müssen mühsam herausgefiltert werden.

Bilden Sie aussagekräftige Blöcke

Für Personalverantwortliche ist entscheidend, ob Ihre bisherigen Tätigkeiten vermuten lassen, dass Sie die Anforderungen innerhalb der Wunschposition bewältigen können. Ihre momentane Tätigkeit sagt darüber am meisten aus. Weiter zurückliegende Erfahrungen machen natürlich Ihre Entwicklungslinie deutlich. Der wichtigste Punkt für Personalverantwortliche ist aber, wo Sie momentan in Ihrer beruflichen Entwicklung stehen. Wir empfehlen Ihnen deshalb die rückwärts-chronologische Darstellung der Stationen Ihres Werdegangs. Konkret heißt das, dass Sie die einzelnen Blöcke, die Sie in Ihrem Lebenslauf bilden, immer mit den aktuellsten Informationen beginnen sollten. Beispielsweise nennen Sie im Block Berufstätigkeit zuerst Ihre derzeitige Position, dann die davorliegende Position und gehen so immer weiter zurück bis zu Ihrer Einstiegsposition. Wir schlagen Ihnen folgende Blöcke vor:

Stellen Sie Ihren Werdegang rückwärts-chronologisch dar

- persönliche Daten
- Berufstätigkeit
- Studium/Ausbildung
- Schulabschluss, Wehr-/Zivildienst
- Weiterbildung, Sonstiges (Ehrenämter)
- Zusatzqualifikationen

Die Gestaltung des Seitenkopfes

Der Lebenslauf beginnt oben links mit der Angabe Ihres Namens, Ihrer Adresse, Ihrer Telefonnummer und Ihrer E-Mail-Adresse. Rechts neben diesen Daten wird das Bewerbungsfoto befestigt. Wir zeigen Ihnen jetzt, wie Sie die einzelnen Blöcke in Ihrem Lebenslauf aussagekräftig ausgestalten können.

Persönliche Daten

Im ersten Block »Persönliche Daten« nennen Sie Ihren Geburtstag und -ort und Ihren Familienstand. Wenn Sie Kinder haben, können Sie diese folgendermaßen angeben:

Persönliche Daten
geb. am 16.06.1970 in Köln
Familienstand: verheiratet, 2 Kinder (2 und 4 Jahre)

Berufstätigkeit

Sie überzeugen mit Ihrem Lebenslauf dann, wenn Sie Ihrem zukünftigen Arbeitgeber klar machen, dass Sie in Ihrer jetzigen Position genau die Tätigkeiten ausüben, die für die zu vergebende Stelle wichtig sind. Deshalb sollten Sie den Block »Berufstätigkeit« in Ihrem Lebenslauf besonders gründlich ausarbeiten. Hier zwei Beispiele, die Ihnen zeigen, welche Fehler Initiativbewerbern häufig unterlaufen und wie Sie es besser machen können, um bei Personalverantwortlichen Punkte zu sammeln.

Beginnen Sie mit Ihrer momentanen Tätigkeit

Bewerbung als Abteilungsleiterin in der Personalentwicklung

Beispiele

Eine Bewerberin, die in ihrem Lebenslauf nur den Arbeitgeber und ihre Position angibt, verschenkt die Chance, sich und ihre Qualifikationen nachhaltig darzustellen:

| 07/1998 – heute | B. Franck & Söhne GmbH, Personalreferentin |
| 01/1995 – 06/1998 | Nennecke GmbH, Personalsachbearbeiterin |

Es ist besser, auch die ausgeübten Tätigkeiten anzugeben, und zwar so, dass der Bezug zur Wunschposition deutlich wird. In der folgenden verbesserten Version wird zudem die Ausweitung der Kompetenzen der Bewerberin und damit die berufliche Entwicklung deutlich:

07/1998 – heute   B. Franck & Söhne GmbH, Leipzig, Branche: Maschinenbau, Abteilung Personalentwicklung, Personalreferentin, Aufgaben: Personalrekrutierung, Personalauswahl, Personalberichterstattung, Personalentwicklung mit dem Schwerpunkt Kompetenzaufbau

01/1995 – 06/1998   Nennecke GmbH, Dresden, Versicherungsmakler, Abteilung Personalverwaltung, Personalsachbearbeiterin, Aufgaben: Lohn- und Gehaltsabrechnung, Personalbetreuung, Projektleitung Compensation & Benefits (Einsatz von Anreizsystemen)

Bewerbung als Manager für
Strategischen Einkauf

Beispiel 2

Ein Bewerber, der sich von der Position des stellvertretenden Abteilungsleiters im Einkauf auf die Stelle als Manager für Strategischen Einkauf bewirbt, formuliert zu knapp und zu wenig aussagekräftig, wenn er nur die Firma und seine Position angibt:

03/1995 – heute   Import AG, Stellvertretender Abteilungsleiter im Einkauf

01/1990 – 02/1995 Hans-Jörg Müller GmbH, Kaufmännischer Angestellter

Überzeugender klingt diese Beschreibung:

3/1995 – heute   Import AG, Bremen, Abteilung Einkauf, Stellvertretender Abteilungsleiter, Leitung des Einkaufs für die Teilsortimente Textil und Hartwaren, Sortimentsanalyse und -planung für die Niederlande, Österreich und Deutschland, Projektgruppe Zentralisierung des europäischen Beschaffungsmanagements, verantwortlich für die Führung von zwölf Mitarbeitern

01/1990 – 02/1995 Hans-Jörg Müller GmbH, Bielefeld, Abteilung Einkauf und Vertrieb, Kaufmännischer Angestellter im Bereich Warenwirtschaft, Planung und Beschaffung, Kostenkontrolle und Einkauf, Betreuung von Einkaufszentralen und Großhändlern

Ihre berufliche Entwicklung muss deutlich werden

Stellen Sie Ihre derzeitigen und früheren Tätigkeiten im Block Berufstätigkeit so dar, dass Ihre berufliche Entwicklung an Ihren bisherigen Arbeitsplätzen deutlich wird. Nehmen Sie das Basisprofil für Ihre Wunschposition zur Hand und überlegen Sie, welche Anforderungen Sie in welcher Tätigkeit bereits erfüllt haben. Formulieren Sie stichwortartig und greifen Sie dabei auf Schlüsselbegriffe aus dem Tagesgeschäft zurück. So wie wir es Ihnen im Abschnitt »Regeln für die überzeugende Selbstdarstellung« im Kapitel *Initiativanschreiben: mit Profil zum Erfolg* dargestellt haben.

Fast alle Bewerberinnen und Bewerber tun sich schwer damit, ihre ausgeübten Tätigkeiten stichwortartig aufzuführen und zugleich umfassend darzustellen. Trainieren Sie das, sowohl für Ihre momentane Position als auch für zurückliegende Beschäftigungsverhältnisse. Mit den richtigen Bezeichnungen für die von Ihnen bewältigten Aufgaben sammeln Sie bei Personalverantwortlichen entscheidende Pluspunkte. Leisten Sie einen Abgleich zwischen den Anforderungen der Wunschposition und Ihren bisherigen Aufgaben. **Benennen Sie Ihre beruflichen Aufgaben konkret**

Aufgaben eines Personalreferenten

Beispiel

Für die Position eines Personalreferenten lassen sich in Stellenausschreibungen im Internet oder in Printmedien die folgenden Aufgaben finden:

Tätigkeit 1: Personalbeschaffung
Tätigkeit 2: Internationales Personalmanagement
Tätigkeit 3: Personalverwaltung
Tätigkeit 4: Recruiting
Tätigkeit 5: Personalentwicklung
Tätigkeit 6: Personalauswahl
Tätigkeit 7: Gestaltung von Arbeitszeitmodellen
Tätigkeit 8: Lösung arbeitsrechtlicher Fragen
Tätigkeit 9: Beratung von Führungskräften, Betriebsräten und Mitarbeitern
Tätigkeit 10: Anpassung von Gehaltssystemen

Tätigkeit 11: Implementierung von Personalbeurteilungssystemen
Tätigkeit 12: Outsourcing
Tätigkeit 13: Bildungscontrolling
Tätigkeit 14: Entwicklung von Schulungskonzepten
Tätigkeit 15: Formulierung von Stellenanzeigen
Tätigkeit 16: Auswahl und Einsatz von internen und externen Fachreferenten
Tätigkeit 17: Vertragsgestaltung
Tätigkeit 18: Personalmarketing
Tätigkeit 19: Entwicklung von Leistungssystemen

Tätigkeit 20: Arbeit mit	*Tätigkeit 23:* Organisations-
Personal-	planung
informtions-	*Tätigkeit 24:* Pflege und
systemen	Erweiterung von
Tätigkeit 21: Personalcontrolling	Personalhand-
Tätigkeit 22: Konzeption von	büchern
Entwicklungs-	*Tätigkeit 25:* Betreuung von
maßnahmen	Hochschulkontakten

Üben Sie die Charakterisierung Ihrer Aufgaben Es ist eine reine Übungssache, die von Ihnen bereits wahrgenommenen Aufgaben oder Verantwortungsbereiche stichwortartig zu charakterisieren. Diese Vorbereitung wird sich jedoch für Sie lohnen. Trainieren Sie mit der Übung »Tätigkeitsbezeichnungen für den Lebenslauf«, knappe, aber informative Umschreibungen für die von Ihnen wahrgenommenen Tätigkeiten zu finden.

Tätigkeitsbezeichnungen für den Lebenslauf

Übung

In dieser Übung lernen Sie, möglichst viele Bezeichnungen für Ihre beruflichen Tätigkeiten herauszufinden. Nutzen Sie Jobbörsen im Internet, oder kaufen Sie sich die Wochenendausgaben überregionaler Tageszeitungen mit einem großen Stellenanzeigenteil. Suchen Sie all die Anzeigen heraus, in denen Ihre jetzige Berufstätigkeit ausgeschrieben ist. Hier finden Sie Umschreibungen, Bezeichnungen und Etikettierungen für die Aufgaben, die zu dieser Stelle gehören. Lassen Sie sich bei Ihrer Auswahl nicht beschränken, suchen Sie auch nach Tätigkeiten, die Sie nicht täglich ausüben.

Finden Sie für Ihre momentane Position mindestens zehn passende Tätigkeiten. Neben der Auswertung der Stellenanzeigen sollten Sie in Gedanken noch einmal durchgehen, welche Sonderprojekte Sie bearbeitet haben, wann Sie Kollegen vertreten haben und welche Aufgabenfelder Sie von Kongressen und Tagungen her kennen.

Ihre derzeitige Position: . . . .

Tätigkeit 1: . . . .
Tätigkeit 2: . . . .
Tätigkeit 3: . . . .
Tätigkeit 4: . . . .
Tätigkeit 5: . . . .
Tätigkeit 6: . . . .
Tätigkeit 7: . . . .
Tätigkeit 8: . . . .
Tätigkeit 9: . . . .
Tätigkeit 10: . . . .

Gehen Sie anschließend zu Ihrer vorherigen Position über. Suchen Sie auch hier so viele Tätigkeiten wie möglich aus den Stellenbeschreibungen in den Anzeigen heraus.

Ihre vorherige Position: . . . .

Tätigkeit 1: . . . .
Tätigkeit 2: . . . .
Tätigkeit 3: . . . .
Tätigkeit 4: . . . .
Tätigkeit 5: . . . .
Tätigkeit 6: . . . .
Tätigkeit 7: . . . .
Tätigkeit 8: . . . .
Tätigkeit 9: . . . .
Tätigkeit 10: . . . .

Sie haben jetzt genug Schlüsselbegriffe, mit denen Sie Ihren Lebenslauf inhaltlich gestalten können. Nun müssen Sie die geeigneten Begriffe für die Darstellung Ihrer beruflichen Positionen auswählen. Sortieren Sie diese nach ihrer Bedeutung. Überlegen Sie, welche Tätigkeiten besonders wichtig für Ihre Wunschposition sind, und bringen Sie sie dementsprechend in eine Rangfolge. Mit den Top Five Ihrer Liste haben Sie die Beschreibungen gefunden, mit denen Sie Ihre momentane Berufstätigkeit im Lebenslauf inhaltlich darstellen können.

Schneiden Sie Ihr Profil zu

Beispiel

Personalreferent bewirbt sich als Human Resource Manager und als Schulungsleiter

Im Beispiel »Aufgaben eines Personalreferenten« haben wir 25 Aufgabenbeschreibungen gefunden. Diese Liste ist bewusst sehr umfassend, für eine konkrete Bewerbung muss sie gestrafft werden. Für unterschiedliche Wunschpositionen müssen die jeweils passenden Tätigkeiten im Lebenslauf herausgestellt werden.

Wenn sich ein Personalreferent als Human Resource Manager bewirbt, sollte er die folgenden Tätigkeiten in den Vordergrund stellen:

Personalreferent wird Human Resource Manager

1. Internationales Personalmanagement
2. Personalcontrolling
3. Personalentwicklung
4. Recruiting
5. Personalmarketing

Wenn er sich als Schulungsleiter bewirbt, macht er sich mit diesen Beschreibungen interessant:

Personalreferent wird Schulungsleiter

1. Konzeption von Entwicklungsmaßnahmen
2. Bildungscontrolling
3. Auswahl und Einsatz von internen und externen Fachreferenten

4. Entwicklung von Schulungskonzepten

5. Pflege und Erweiterung von Personalhandbüchern

Sie sehen, wie sich eine gezielte Ausarbeitung wohltuend von einem Standardlebenslauf abhebt, der für alle Positionen geeignet sein soll. Sie müssen Ihren Lebenslauf genauso wir Ihr Initiativanschreiben jeweils auf Ihre Wunschposition zuschneiden. Sie dürfen keine Tätigkeitsbeschreibungen verwenden, die Sie in einem späteren Vorstellungsgespräch nicht mit Ihren beruflichen Erfahrungen belegen können. Dennoch sollten Sie **Nutzen Sie** sich bei der Ausarbeitung Ihres Lebenslaufs nicht zu sehr be- **Gestaltungs-** schränken. Wenn Sie eine Tätigkeit angeben, müssen Sie sie **spielräume** nicht durchgehend im Tagesgeschäft ausgeübt haben. Sie können durchaus Tätigkeiten nennen, mit denen Sie in einem zeitlich begrenzten Projekt in Berührung gekommen sind. Es gilt die Regel: Wenn Sie für eine Tätigkeit ein Beispiel aus Ihrer Berufspraxis finden, dürfen Sie sie auch im Lebenslauf aufführen. Richten Sie Ihre Lebensläufe auf die jeweiligen Wunschpositionen individuell aus. Unsere Übung »Ihre Top Five« hilft Ihnen, die überzeugendsten Tätigkeitsbezeichnungen herauszufiltern.

Ihre Top Five

In der vorhergehenden Übung »Tätigkeitsbezeichnungen für den Lebenslauf« haben Sie Schlüsselbegriffe zur Charakterisierung Ihrer bisherigen Tätigkeiten gesammelt.

Gleichen Sie nun diese Liste mit dem von Ihnen erarbeiteten Basisprofil Ihrer Wunschposition ab. Suchen Sie nach Überschneidungen: Wägen Sie ab, welche Tätigkeiten zu welcher Wunschposition am besten passen. Entscheiden Sie sich für die jeweiligen Top Five, die am überzeugendsten deutlich machen, dass Sie der richtige Kandidat für Ihre Wunschposition sind.

Wunschposition 1: . . . .

Tätigkeit 1: . . . .

Tätigkeit 2: . . . .

Tätigkeit 3: . . . .

Tätigkeit 4: . . . .

Tätigkeit 5: . . . .

Wunschposition 2: . . . .

Tätigkeit 1: . . . .

Tätigkeit 2: . . . .

Tätigkeit 3: . . . .

Tätigkeit 4: . . . .

Tätigkeit 5: . . . .

Machen Sie Ihre Entwicklung im Unternehmen sichtbar Ein häufig bei Initiativbewerbern auftauchender Fehler ist die mangelhafte Darstellung ihrer beruflichen Entwicklung, wenn ein größerer Zeitraum in ein und demselben Unternehmen verbracht wurde. Wenn im Lebenslauf nur die aktuelle Position angegeben wird, vermuten Personalverantwortliche eher einen jahrelangen Stillstand statt eines beruflichen Fortkommens.

Zwölf Jahre Stillstand?

Die folgende Darstellung gibt zu Spekulationen Anlass:

07/1990 – 12/2002 Auto AG, Assistentin im Vertrieb

Wenn Personalverantwortliche diese knappe Angabe im Lebenslauf lesen, stellen sie sich die folgenden Fragen:

- Ist die Bewerberin zwölf Jahre auf ihrer Einstiegsposition als Vertriebsassistentin hängen geblieben?
- Hat man die Bewerberin wegen schlechter Leistungen zurückgestuft?
- Ist die Bewerberin unflexibel, nicht lernfähig und nicht aufstiegsorientiert?
- Gab es in der alten Firma eine Umstrukturierung? Hat man der Bewerberin gekündigt, weil man sie nicht in eine Position mit neu definierten Aufgaben einbinden kann?
- Hat man die Bewerberin von einer anderen Position entbunden und sie auf der Assistentinnenposition kaltgestellt, damit sie von sich aus kündigt?

Die Chance, solche Missverständnisse auszuräumen, hätte diese Bewerberin erst im Vorstellungsgespräch. Dazu wird es wegen der Zweifel aber üblicherweise gar nicht erst kommen.

Die Bewerberin sollte in ihrem Lebenslauf ihre Tätigkeit für die Auto AG in einzelne Entwicklungschritte untergliedern und jeden Schritt inhaltlich mit Tätigkeitsbeschreibungen füllen. Tatsächlich verbarg sich hinter der Berufsbezeichnung Assistentin im Vertrieb nämlich keine Vertriebsassistentin, sondern die Assistentin des Konzernvertriebschefs. Die überarbeitete Darstellung lautet:

07/1990 – 12/2002 Auto AG, Stuttgart

    09/1998 – 12/2002 Assistentin des Konzernvertriebschefs, Planung und Umsetzung internationaler Vertriebsaktivitäten, Aufbau und Betreuung internationaler Handelspartner, Organisation internationaler Verkaufsmessen, Leitung des Key-Account-Teams

    01/1993 – 08/1998 Account Managerin, aktives Kunden-Beziehungsmanagement, Messeplanung und Koordination, Produktpotenzialanalysen, Projektleitung »Strategische Geschäftsentwicklung«

07/1990 – 12/1992 Vertriebsassistentin, Markt- und Wettbewerberbeobachtung, Außendienstunterstützung, Kun-
denakquisition

Machen Sie deutlich, was Sie zu bieten haben

Das Beispiel zur Darstellung der Entwicklung in einem Unternehmen zeigt es noch einmal ganz deutlich: Initiativbewerber haben neuen Arbeitgebern oft viel zu bieten. Die Angaben zu den beruflichen Qualifikationen in den Bewerbungsunterlagen lassen jedoch meistens zu wünschen übrig. Gerade im Lebenslauf neigen Bewerber dazu, ihre bisherige Berufstätigkeit viel zu knapp darzustellen und durch missverständliche Angaben zu entwerten.

Wenn Sie geeignete Beschreibungen für die Tätigkeiten, die Sie in Ihren beruflichen Stationen ausgeübt haben, herausgefunden haben, ist die inhaltliche Ebene des Lebenslaufs für Sie geklärt. Jetzt geht es darum, die Bezeichnungen richtig einzusetzen.

Bündeln Sie Informationen

Sie haben an unseren vorangegangenen Beispielen gesehen, dass wir die stichwortartige Darstellung der Tätigkeiten bevorzugen. Dieser Telegrammstil im Lebenslauf hat den Vorteil, dass Personalverantwortliche innerhalb kurzer Zeit viele Informationen über den Bewerber erfassen können. Bei der formalen Darstellung von Tätigkeiten werden aber immer wieder Fehler gemacht, die Sie vermeiden können.

Ein Fehler ist die für Außenstehende unverständliche Benennung von Tätigkeiten. Im Laufe Ihrer Berufspraxis hat sich bei Ihnen ein ganz bestimmter Sprachgebrauch entwickelt, in dem zum schnellen Informationsaustausch unter Kollegen viele Abkürzungen verwendet werden. Der Gebrauch dieser Abkürzungen wird im Lebenslauf zu einem Problem. Selbst wenn Sie im neuen Unternehmen damit verstanden werden, wird man Ihnen mangelnde Kommunikationsfähigkeit und ungenügendes Einfühlungsvermögen unterstellen. Gerade Personalverantwortliche sind schnell verärgert, wenn Sie Ihren Sprachgebrauch auf einen Fachjargon reduzieren.

Der GL im AD mit Schwerpunkt POS

Die folgende Selbstdarstellung ist im Lebenslauf ungeeignet:

10/1999 – 10/2002 GL im AD, Bereich OTC, Schwerpunkt POS, PL in
der VM-Koordination

Übersetzen Sie Abkürzungen und geben Sie Ihre Tätigkeiten allgemein-
verständlich an. Gestalten Sie Ihren Lebenslauf lesefreundlich und eindeutig. Zum Beispiel so:

10/1999 – 10/2002 Pharma AG, Bereich Over-the-Counter-Produkte,
Gruppenleiter im Außendienst, Schwerpunkt Point-
of-Sale-Verkaufsförderung, Projektleiter in der Abstimmung der Vertriebs- und Marketingmaßnahmen

Ein weiterer Fehler ist die epische Darstellung von Tätigkeiten.
Initiativbewerber, die in ganzen Sätzen formulieren, erwecken
den Eindruck, dass sie nicht auf den Punkt kommen können.
Der Lebenslauf wird unübersichtlich und verliert die Funktion,
in kurzer Zeit umfassende Informationen zu geben.

Der PR-Referent für interne Kommunikation

In der folgenden Darstellung fällt es schwer, die Aufgaben und Kompetenzen des Bewerbers auf einen Blick zu erfassen:

10/1999 – 10/2002 Corporate-Communications-Referent: Ich habe interne Informationen vom E-Mail-Newsletter bis zur
Mitarbeiterzeitschrift unter Berücksichtigung der
Wünsche und Anregungen einzelner Unternehmensbereiche aufbereitet und mit hoher Textsicher-
heit in ansprechender Verpackung adressatenorientiert allen interessierten Mitarbeitern zur Verfügung
gestellt. Mein sicheres und freundliches Auftreten
machte es Mitarbeitern immer leicht, auf mich zu-

zugehen, und sie wussten, dass sie bei mir immer ein offenes Ohr finden.

Die Tätigkeiten des Bewerbers als Public-Relations-Referent für die interne Kommunikation werden in der folgenden Fassung deutlicher:

10/1999 – 10/2002 dot.com GmbH, Bereich Unternehmenskommunikation, PR-Referent: Betreuung der Mitarbeiter-Hotline, Redaktion der Mitarbeiterzeitschrift, Sicherstellung der Informationsprozesse zwischen den Abteilungen, Umsetzung der Corporate Identity in allen Ebenen des Unternehmens

Der Abschluss von Studium oder Ausbildung Wenn Sie Ihre Berufsausbildung oder Ihr Studium angeben, sollten Sie zusätzlich zum Zeitrahmen in Monaten und Jahren die erworbenen Abschlüsse mit dem Tagesdatum angeben. So machen Sie klar, dass Sie eine Ausbildung oder ein Studium auch tatsächlich abgeschlossen haben.

Wie ausführlich Sie Ihr Studium beziehungsweise Ihre Berufsausbildung im Lebenslauf darstellen, hängt davon ab, wie lange das zurückliegt.

Bewerber, die über mehr als drei Jahre Berufserfahrung verfügen, sollten den Block Studium/Ausbildung knapp gestalten.

Beispiel

Bewerber mit mehr als drei Jahren Berufserfahrung

09/1990 – 10/1995 Universität Münster, Studium der Betriebswirtschaftslehre
15.10.1995 Diplom-Kaufmann

Initiativbewerber mit weniger als drei Jahren Berufserfahrung können ihr Studium beziehungsweise ihre Berufsausbildung etwas ausführlicher schildern, um die von den Unternehmen gefragte Berufserfahrung auch für die Ausbildungszeit zu dokumentieren. Dies gelingt beispielsweise folgendermaßen:

Bewerber mit Hochschulabschluss und weniger als drei Jahren Berufserfahrung

09/1995 – 10/2000   Universität Münster, Studium der Betriebswirtschaftslehre, Schwerpunkte: Distribution, Handel und Marketing

15.10.2000   Diplom-Kaufmann, Gesamtnote »gut«

Bewerberin mit Berufsausbildung und weniger als drei Jahren Berufserfahrung

08/1997 – 07/2000   Internet-Bank AG, Hamburg, Ausbildung zur Bankkauffrau, Mitarbeit in den Abteilungen Privatkredite und Wertpapiere   Beispiel 2

15.07.2000   Abschlussprüfung Bankkauffrau, Gesamtnote »gut«

Durch diese Darstellungsweise wird Ihre Studien- oder Ausbildungszeit aussagekräftiger. Wenn Sie Schwerpunkte für Ihre Ausbildung oder Ihr Studium angeben, sollten diese Angaben zur Wunschposition passen. **Stimmen Sie Schwerpunkte auf Ihre Wunschposition ab**

Schulabschluss, Wehr- oder Zivildienst, Soziales Jahr

Den nächsten Block im Lebenslauf können Sie knapp halten. Wenn Sie Wehr-, Zivildienst oder ein Soziales Jahr abgeleistet haben, geben Sie die Zeitspanne in Monats- und Jahreszahlen an. Stellen Sie den von Ihnen abgeleisteten Dienst für die Allgemeinheit so dar:

08/1993 – 08/1994   Wehrdienst

oder

08/1993 – 08/1994   Zivildienst

Geben Sie Von den Schulabschlüssen, die Sie vor vielen Jahren erworben
nur den haben, interessiert bei Initiativbewerbern nur der letzte. Diesen
letzten Schul- Schulabschluss stellen Sie dar, indem Sie das Tagesdatum, das
abschluss an auf dem letzten Zeugnis steht, angeben. Danach nennen Sie die
Art Ihres Schulabschlusses und den Namen Ihrer Schule.

24.06.1994   Abitur am Kurt-Tucholsky-Gymnasium,
                  Flensburg

Initiativbewerber, die im Block Schule die Grundschulzeit erwähnen, sorgen bei Personalverantwortlichen für Heiterkeit.
Konzen- Wird die längst vergangene Schulzeit ausführlich dargestellt,
trieren Sie verschenken Bewerber wertvollen Platz, der der Angabe von be-
sich auf wirk- ruflichen Tätigkeiten vorbehalten sein sollte. Schwerwiegender
lich relevante als der Platzverbrauch ist die ausführliche Auflistung für die
Informa- Einstellung nicht relevanter Daten. Die berufsorientierte Ge-
tionen wichtung der Blöcke im Lebenslauf wird zerstört, wenn der
Block Schulabschluss, Wehr- oder Zivildienst, Soziales Jahr
umfassender dargestellt wird als der Block Berufstätigkeit.

Weiterbildung und Sonstiges

Im Block Weiterbildung und Sonstiges geben Sie zuerst die von
Ihnen absolvierten Weiterbildungsmaßnahmen an. Hierzu gehören beispielsweise die Ausbildereignungsprüfung, Weiterbildungen zur Umwelt-Auditorin, zum Qualitätsmanager oder
zum Systemadministrator. Die Kurse werden mit dem Träger,
also mit der für die Durchführung verantwortlichen Organisation und dem Originaltitel des Kurses, angegeben. Die Inhalte

brauchen Sie nur dann aufzuführen, wenn der Seminartitel nicht aussagekräftig ist.

Gebildete Initiativbewerber

04/1999   Haus der Technik e.V., Außeninstitut der RWTH Aachen, Seminar: Autonome Arbeitsgruppen in der Produktion, Inhalt: Minimierung der Rüstzeiten bei Produktionsumstellungen

05/1998   Karriereakademie, Workshop: Optimal präsentieren – So überzeugen Sie mit Körpersprache

10/2001   Allfinanz Akademie, Seminar: Kundengespräche erfolgreich führen

Personalverantwortliche stöhnen gelegentlich über die ausgeprägte Weiterbildungswut von Bewerbern, wenn Seminare und Kurse im Dutzend angegeben werden, also lückenlos jede besuchte Maßnahme, vom VHS-Rhetorikseminar bis zum Bachblütenkurs, aufgeführt wird. Grundsätzlich gilt die Regel, dass Sie nur die Maßnahmen nennen, die für die Wunschposition von Belang sind.

Wählen Sie Weiterbildungszertifikate sorgfältig aus

Die Mitarbeit in berufsständischen Vereinigungen wie VDI (Verein Deutscher Ingenieure), VDE (Verband Deutscher Elektroingenieure), DGFP (Deutsche Gesellschaft für Personalführung) oder ehrenamtlichen Organisationen sollten Sie im Lebenslauf auf jeden Fall nennen. Engagement über die normalen Anforderungen des Berufs hinaus wird gern gesehen. Auch hier gelten besondere Regeln: Nennen Sie zuerst die Institution/den Verein, dann die Position, die Sie bekleiden, und eventuell von Ihnen mitorganisierte Veranstaltungen oder Projekte.

Seien Sie vorsichtig mit der Angabe von Mitgliedschaften bei weltanschaulichen Organisationen. Gewerkschafts- und Parteizugehörigkeit, Umwelt-, Frauen- oder Männergruppenarbeit lassen bei Personalverantwortlichen die Alarmglocken läuten. Es sei denn, Sie bewerben sich bei einer Organisation, die in diesen Bereichen tätig ist. Dann ist Ihre Weltanschauung im Bewerbungsverfahren gefragt. Ansonsten wird vermutet, dass Sie im Unternehmen Unruhe stiften werden.

Zusatzqualifikationen

In diesem Block erwähnen Sie Ihre Sprach- und EDV-Kenntnisse. Wichtig dabei ist, dass Sie nicht zu allgemein formulieren. Die bloße Angabe »Englisch« oder »EDV-Kenntnisse« ist wenig informativ.

Bewerten Sie Ihre EDV- und Sprach- kenntnisse Für Sprachen gilt, dass Sie zuerst die Sprache nennen und Ihre Kenntnisse dann bewerten. Benutzen Sie dabei folgende Abstufungen: Grundkenntnisse, gut, sehr gut, verhandlungsicher.

Ihre EDV-Kenntnisse benennen Sie ebenfalls präzise. Falls Sie sich in der IT-Branche bewerben, sollten Sie EDV-Kenntnisse in Programmierkenntnisse und Anwenderkenntnisse unterteilen, Spezialsoftware aufführen und die Betriebssysteme, mit denen Sie arbeiten können, nennen.

Führen Sie die Computerprogramme, die Sie benutzen, genau auf und bewerten Sie diese Kenntnisse ebenso wie die Sprachkenntnisse – Grundkenntnisse, gut, sehr gut – nur, dass Sie für den besten Kenntnisstand statt »verhandlungsicher« die Bewertung »ständig in Anwendung« verwenden.

EDV-Kenntnisse

Stellen Sie Ihre EDV-Kenntnisse so dar:

EDV-Kenntnisse: Windows 2000 und Windows NT 4.0 (gut), Textverarbeitung WinWord, Tabellenkalkulation Excel, Datenbank Access (alle ständig in Anwendung)

Für das Ende Ihres Lebenslaufes gilt die klassische Regel des Bewerbungsverfahrens: Unterschreiben Sie mit Vor- und Zunamen
hinter der handschriftlichen Angabe von Ort und Datum. Sie be- **Unter-**
werben sich damit in den Augen klassisch ausgebildeter Persona- **schreiben**
lexperten bewusster und zielgerichteter auf die ausgeschriebene **Sie Ihren**
Position, weil Sie Ihren Lebenslauf durch die Datumsangabe im **Lebenslauf**
Falle einer Absage nicht mehr für ein anderes Unternehmen ver-
werten können. Das Computerzeitalter ist an manchen Personalverantwortlichen eben spurlos vorbeigezogen.

Das Ideal der lückenlosen Entwicklung

Achten Sie darauf, dass Sie für jede Station in Ihrem Lebenslauf einen Zeitraum benennen. Arbeiten Sie mit Monats- und
Jahresangaben. Wenn Sie nur Jahreszahlen angeben, vermuten
Personalverantwortliche, dass Sie Leerlaufzeiten verstecken
wollen. Dann wird Ihr Lebenslauf insgesamt sehr kritisch geprüft werden. Lassen Sie nicht den Verdacht aufkommen, dass
Sie als Bewerber irgendetwas zu verheimlichen hätten.

Eventuelle Lücken in Ihrem Lebenslauf könnten ein Problem
werden. Natürlich überprüfen Personalverantwortliche, ob Ihre
Zeitangaben vollständig sind. Es gilt die Regel, dass Lücken bis **Lücken über**
zu zwei Monaten toleriert werden, wenn der Bewerber keine **zwei Monate**
Möglichkeit hatte, seine nächste Aufgabe früher in Angriff zu **müssen Sie**
nehmen. Das kann beispielsweise die Zeit zwischen Schulab- **füllen**
schluss und Ausbildungsbeginn oder die Zeit zwischen dem
Ende eines Sozialen Jahres und dem Beginn eines Studiums sein.

Längere Lücken sollten Sie inhaltlich füllen. Wenn zwischen
zwei Stationen in Ihrem Lebenslauf ein mehrmonatiger Leerlauf
liegt, müssen Sie begründen können, wie Sie diese Zeit sinnvoll
verbracht haben. Bewerber, die von sich aus aktiv werden und
Freiräume nutzen können, sind durchaus gefragt. Es spricht
beispielsweise für Sie, wenn Sie während einer sechsmonatigen

Arbeitslosigkeit Ihr PC-Wissen oder Ihre Sprachkenntnisse ausgebaut haben. Eine weitere Möglichkeit wäre die Angabe von Aushilfstätigkeiten oder freiberuflichen Beratungsaufgaben.

Aktivität statt Leerlauf

Eine Kundin suchte uns auf, weil sie Schwierigkeiten mit einer Lücke in ihrem Lebenslauf hatte. Nach einer Umschulung zur Multimediaassistentin war sie sieben Monate arbeitslos gewesen. Die Softwarefirma, bei der sie während ihrer Umschulung ein Praktikum machte, hatte ihr eine Anstellung nach Abschluss der Maßnahme zugesagt, war jedoch inzwischen in Konkurs gegangen. Mit dieser zeitlichen Lücke im Lebenslauf musste sich unsere Kundin erneut auf dem Arbeitsmarkt orientieren.

Bisher hatte unsere Kundin diese sieben Monate als Arbeitslosigkeit angegeben. Wir fragten sie, was sie denn tatsächlich gemacht hatte. Sie erzählte uns, dass sie sich weiterbeworben und für Freunde und Bekannte Homepages erstellt hätte. Aufgrund dieser Informationen empfahlen wir ihr, die Zeit der Arbeitslosigkeit anders darzustellen. Das sah dann so aus:

07/2000 – 02/2001 Freelancer, Konzeption und Programmierung von Homepages, Multimediaberatung

Fazit: Füllen Sie die Lücken in Ihrem Lebenslauf sinnvoll aus. Vermeiden Sie das Reizwort »Arbeitslosigkeit«. Machen Sie deutlich, dass Sie auch in vermeintlichen Leerlaufzeiten aktiv und engagiert geblieben sind.

Das Zauberwort heißt aktive Entspannung

Bei der Blockbildung im Lebenslauf gibt es keine durchgehende Zeitleiste. Das hindert Personalverantwortliche jedoch nicht daran, auf die Suche nach Lücken zu gehen. Versuchen Sie nicht, die Blockbildung als Vorwand zu nutzen, um Fehlzeiten unter den Tisch fallen zu lassen. Füllen Sie längere Lücken unbedingt mit der Angabe von Weiterbildungsmaßnahmen, Fortbildungen, Aushilfstätigkeiten oder freiberuflicher Tätigkeit aus.

Sinnvolle Lückenbüßer

Mit Hobbys zum Berufserfolg?

Wir haben Ihnen für Ihr Initiativanschreiben und Ihren Lebenslauf gezeigt, wie Sie Ihre Kenntnisse und Fähigkeiten konkret, überzeugend und auf Ihre Wunschposition zugeschnitten darstellen sollten. Verzichten Sie auf epische Beschreibungen von Hobbys als Beleg für persönliche Fähigkeiten, weil das schnell zum Bumerang werden kann.

Nennen Sie nur Hobbys, die zur Wunschposition passen

Ihre Hobbys sind nur dann von Bedeutung, wenn sie in unmittelbarem Verhältnis zur neuen beruflichen Tätigkeit stehen. Wenn Sie zukünftig mit der Entwicklung von Textilmembranen für Outdoor-Kleidung zu tun haben, sollten Sie in Ihren Hobbys eine Begeisterung für Outdoor-Aktivitäten deutlich machen. Für die meisten Berufsfelder lässt sich jedoch kein Zusammenhang zwischen Hobby und Berufstätigkeit herstellen.

Wenn Ihre Hobbys Einschränkungen Ihrer beruflichen Leistungsfähigkeit vermuten lasse, dürfen Sie sie auf keinen Fall erwähnen. Alle Leistungssportarten, die Sie in Ihrem Lebenslauf nennen, lassen Personalverantwortliche an Rückenschäden, kaputte Gelenke und dauernden Freizeitstress durch häufiges Training, Wochenendwettkämpfe und Siegesfeiern denken. Wer Jugendgruppen trainiert, zeigt damit zwar seine Schulungs- und Vermittlungsfähigkeiten, lässt aber auch Rückschlüsse auf überdurchschnittliches Engagement in der Freizeit zu, wobei natürlich vermutet wird, dass dies zulasten des beruflichen Engagements geht. Extremhobbys wie Drachenfliegen, Freeclimbing, Boxen oder Ähnliches, nennen Sie wegen der Verletzungsgefahr ebenfalls nicht.

Problemlos können Sie Hobbys angeben, die zeigen, dass Sie sich in Ihrer Freizeit aktiv entspannen. Dazu gehören Schwimmen, Joggen, Yoga, Aerobic und Fitnesstraining.

Der Lebenslauf: übersichtlich und aussagekräftig

Im Blick

- Ihr Lebenslauf sollte genauso aussagekräftig sein wir Ihr Initiativanschreiben.

- Liefern Sie keine Nacherzählung Ihres Lebenswegs, machen Sie stattdessen Ihre beruflichen Erfahrungen und Erfolge deutlich.
- Bilden Sie Blöcke in Ihrem Lebenslauf, und gehen Sie in jedem Block von der aktuellsten zu der am weitesten zurückliegenden Station.
- Wir schlagen Ihnen die Blöcke »Persönliche Daten«, »Berufstätigkeit«, »Studium/Ausbildung«, »Schulabschluss, Wehr-/ Zivildienst, Soziales Jahr«, »Weiterbildung, Sonstiges« und »Zusatzqualifikationen« vor.
- Gestalten Sie den Block »Berufstätigkeit« besonders aussagekräftig. Geben Sie nicht nur Ihre bisherigen Arbeitgeber und Ihre Position an, sondern nennen Sie auch die von Ihnen ausgeübten Tätigkeiten.
- Erarbeiten Sie einen positionsbezogenen Lebenslauf. Stellen Sie besonders die Tätigkeiten heraus, die einen Bezug zu Ihrer Wunschposition haben.
- Geben Sie Ihre Aufgaben stichwortartig an. Vermeiden Sie Abkürzungen genauso wie epische Darstellungen.
- Machen Sie Zeitangaben immer in Monaten und Jahren, sonst vermuten Personalverantwortliche Lücken in Ihrem Lebenslauf. Abschlussprüfungen geben Sie mit Tagesdatum an.
- Wählen Sie die von Ihnen besuchten Weiterbildungsveranstaltungen sorgfältig aus. Führen Sie nur zur neuen Stelle passende Seminare und Kurse auf.
- Sprach- und EDV-Kenntnisse werden dargestellt, indem Sie die entsprechenden Sprachen und Programme nennen und Ihre Kenntnisse bewerten.
- Die Angabe von Hobbys bringt Sie in der Regel nicht weiter. Es sei denn, das Hobby steht in einem Bezug zur Wunschposition.
- Unterschreiben Sie Ihren Lebenslauf mit Ort, Tagesdatum, Vor- und Zunamen.

10

Sympathiefaktor Bewerbungsfoto

Mit dem Bewerbungsfoto liefern Sie einen ersten Eindruck von sich. Sie zeigen, wie Sie Ihre zukünftige Position sehen und wie Sie das Unternehmen nach außen darstellen wollen. Der Macht des ersten Eindrucks können sich Personalverantwortliche nicht entziehen. Sammeln Sie mit einem optimalen Bewerbungsfoto Sympathiepunkte.

Das Bewerbungsfoto ist ein wesentlicher Bestandteil Ihrer Initiativbewerbung. Personalverantwortliche sind darauf spezialisiert einzelne Detailinformationen aus der Bewerbungsmappe so zusammenzufügen, dass ein positiver oder negativer Gesamteindruck des Bewerbers entsteht. Hierbei spielt das Bewerbungsfoto eine wichtige Rolle. Bei Berufen im Service, im Verkauf oder in der Beratung ist das gepflegte Erscheinungsbild des Bewerbers besonders gefragt.

Durch Ihr Bewerbungsfoto kann bei Personalverantwortlichen Sympathie, aber auch Abneigung ausgelöst werden. Der Grund dafür ist, dass das menschliche Gehirn so aufgebaut ist, dass wir rationalen und emotionalen Eindrücken gegenüber gleich offen sind. Unser Gehirn ist ständig auf der Suche nach **Stellen Sie** Informationsnahrung für den Vernunft- und für den Gefühls- **sich sympa-** bereich. Da aber die Vernunft im (Berufs-)Alltag in Form von **thisch dar** sachlichen Argumenten, logischen Einwänden und unwiderlegbaren Zahlen viel Raum einnimmt, ist unser emotionaler Speicher meistens unterfordert. Er stürzt sich geradezu auf Gelegenheiten, die emotionales Futter versprechen. Bei der Überprüfung von Bewerbungsunterlagen sind dies die durch das Bewerbungsfoto ausgelösten Wirkungen. Ein schlechtes Foto kann bei Personalverantwortlichen von Anfang an Abneigung erzeugen. Ein gutes Foto verschafft Ihnen einen Sympathiebonus.

Der erste Eindruck zählt

Die Macht des ersten Eindrucks ist der Grund für die vielen Legenden, die sich um das Bewerbungsfoto ranken. Auch wir kennen Personalverantwortliche, die sich die Bilder anschauen, noch bevor sie einen Satz im Anschreiben oder Lebenslauf lesen.

Bonuspunkte durch ein gutes Foto

Bilder können den Ausschlag dafür geben, ob Sie zum Vorstellungsgespräch eingeladen werden. Es gibt sogar Personalverantwortliche, die Sympathie als Prüfungsdimension in die Bewerberauswahl aufgenommen haben und vor der Prüfung der Unterlagen Lebenslauf und Foto des Bewerbers in den zuständigen Fachabteilungen herumgeben mit der Frage: »Könnten Sie sich vorstellen, mit ihm oder ihr zusammenzuarbeiten?«

Jeder kennt natürlich den Unterschied zwischen tatsächlichem Erscheinen und verschönter Darstellung auf Fotos. Sie sollten deshalb im Bewerbungsgespräch annähernd so aussehen wie auf dem Foto. Haarfarbe, Frisur oder Brille sollten dem Bewerbungsfoto entsprechen. Verwenden Sie ein aktuelles Foto: Personalverantwortliche beklagen oft, dass sich Bewerber keine Mühe bei der Auswahl ihres Bewerbungsfotos geben. Immer wieder werden Fotos verschickt, die den Eindruck erwecken, als ob sie schon seit vielen Jahren in der Schreibtischschublade liegen. Durch zerknickte oder abgegriffene Fotos werden Personalverantwortliche zu Spekulationen darüber angeregt, von wie vielen Unternehmen der Bewerber bereits abge-

Verwenden Sie ein aktuelles Foto

lehnt wurde. Fotos, denen anzusehen ist, dass sie bereits mehrmals für Bewerbungen verwandt wurden, sollten Sie deshalb aussortieren.

Der Weg zum geeigneten Foto

Automatenfotos gehören auf keinen Fall in die Initiativbewerbung. Sie sollten Ihre überdurchschnittliche Selbstdarstellung auch beim Foto ernst nehmen und dies dadurch dokumentie-

Wählen Sie ein Porträt- foto ren, dass Sie Ihr Foto von einem professionellen Fotografen anfertigen lassen. Ein Passbild ist kein Bewerbungsfoto. Sie müssen dem umworbenen Unternehmen zusammen mit Ihren Unterlagen ein Porträtfoto liefern. Ein Porträtfoto unterscheidet sich von einem Passfoto dadurch, dass nicht nur Ihr Hals und Gesicht zu sehen sind, sondern auch noch ein Teil Ihrer Schultern.

Bei der Suche nach einem geeigneten Fotografen sollten Sie Fotostudios meiden, die Ihnen nur Polaroidfotos als Sofortabzüge anbieten. Fragen Sie nach der Möglichkeit, einen Kontaktbogen anfertigen zu lassen. Wenn Ihr Fotograf dazu in der Lage ist, wird er Ihnen mehrere verkleinerte Fotos zusammengefasst auf einem DIN-A4 Fotopapier liefern (ähnlich einem

Lassen Sie einen Kontakt- bogen erstellen Fotoindex). Lassen Sie für den Kontaktbogen mindestens zehn Aufnahmen von sich machen.

Von den auf dem Kontaktbogen abgebildeten Fotos sollten Sie dann zusammen mit einer Freundin oder einem Freund das Foto aussuchen, das für die Position, auf die Sie sich bewerben, am besten geeignet ist.

Da Bewerbungsfotos einen realistischen Eindruck von Ihnen vermitteln sollen, ist es sinnvoll, sich für einen Farbabzug zu entscheiden. Wählen Sie eine Größe, bei der Sie gut auf dem Foto zu erkennen sind. Fotos im Format 10x15 cm werden von vielen Personalverantwortlichen als zu aufdringlich eingeschätzt werden. Etwas größer als ein Passfoto sollte Ihr Bewerbungsfoto aber schon sein. Das Format 5x7,5 cm ist eine geeignete Richtgröße, an der Sie sich orientieren können.

Ihre Kleidung sollte auf die Position, auf die Sie sich bewerben, abgestimmt sein. Entscheiden Sie sich im Zweifelsfall eher für konservative Kleidung. Männer wählen einen Anzug in gedeckten Farben mit farblich dazu passendem Hemd und einer unauffälligen Krawatte. Für Frauen ist ein Kostüm oder Hosenanzug mit passender Bluse die richtige Wahl. Schmuck und Make-up sollten dezent sein. Ihr Bewerbungsfoto soll dokumentieren, wie Sie die Firma im Außenkontakt (gegenüber Kunden, Geschäftspartnern, Lieferanten) repräsentieren wollen. Es sollte nicht zeigen, in welcher Kleidung Sie gern arbeiten möchten.

Stimmen Sie Ihre Kleidung auf die angestrebte Position ab

Wechseln Sie für die einzelnen Aufnahmen ruhig Ihre Kleidung. Bewerber können einen hellen Blazer gegen einen dunklen tauschen. Bewerberinnen können es beispielsweise einmal mit Halstuch, einmal ohne, oder mit hochgesteckten oder offenen Haaren probieren. Variationsmöglichkeiten gibt es auch hinsichtlich des Hintergrunds und der Ausleuchtung. Achten Sie aber generell darauf, dass der gewählte Hintergrund hell ist. Dunkle Hintergründe wirken oft sehr düster und können Sie Sympathiepunkte kosten.

Schauen Sie weder verschlossen-griesgrämig noch hilflos-anbiedernd in die Kamera. Ein freundlicher Gesichtsausdruck ist wichtig, um Sympathie zu wecken. Auf den Fotos sollten Sie ein nettes Lächeln zeigen, ohne dabei die Zähne zu blecken.

Machen Sie ein freundliches Gesicht

Wenn Sie Ihr Foto, wie von uns empfohlen, in der oberen rechten Ecke Ihres Lebenslaufs anbringen, sollten Sie beim Fotografen darauf achten, von Ihnen aus gesehen nach rechts zu schauen. Sonst entsteht für den Betrachter Ihres Fotos der ungünstige Eindruck, dass Sie von Ihrem Lebenslauf wegschauen. Das könnte Personalverantwortliche zu der Vermutung veranlassen, dass Sie Schwierigkeiten mit Ihrem Selbstbewusstsein haben. Blicken Sie zu Ihrem Lebenslauf hin, um auch optisch eine Einheit zwischen den aufgeführten Kenntnissen und Fähigkeiten und der auf dem Foto abgebildeten Person zu schaffen.

Passt Ihr Erscheinungsbild zum Unternehmen?

Machen Sie sich klar, dass die fotografische Selbstdarstellung von Mitarbeitern aus Banken oder Unternehmensberatungen anders aussehen sollte als die von Mitarbeitern aus der Multimediabranche oder aus Werbeagenturen. Nach Möglichkeit sollten Sie Ihr Erscheinungsbild den Vorlieben des Unternehmens, bei dem Sie sich bewerben, anpassen.

Mit Business-Outfit auf der sicheren Seite Wenn Sie nicht genau wissen, welche Erwartungen an Ihr Erscheinungsbild gestellt werden, sind Sie konservativ gekleidet auf der sicheren Seite. Fotos von Unternehmenszugehörigen, die Sie als Vorlage zum Fotografen mitnehmen können, finden Sie in Imagebroschüren und Verkaufsprospekten der jeweiligen Unternehmen. Weitere Beispiele dafür, wie sich Unternehmenszugehörige für den öffentlichkeitswirksamen Auftritt fotografieren lassen, finden Sie in Magazinen wie *Bizz, manager magazin, Capital, Focus, Spiegel.*

Das Foto in der Bewerbungsmappe

Name und Adresse auf der Rückseite Falls das Unternehmen Ihr Foto von Ihrem Lebenslauf abtrennt, sollten Sie dafür sorgen, dass man es später auch wieder Ihren Unterlagen zuordnen kann. Das Memory-Spiel »Welches Foto gehört zu welchem Lebenslauf?« ist in Personalabteilungen äußerst unbeliebt. Beschriften Sie Ihr Foto auf der Rückseite mit Ihrem Namen und Ihrer vollständigen Adresse, und achten Sie darauf, auf der Vorderseite keinen Abdruck zu hinterlassen.

Stellen Sie sicher, dass sich das Foto problemlos vom Lebenslauf ablösen lässt. Wenn beim Entfernen ein Stück Papier mit abgerissen wird, kann Ihnen das Minuspunkte bei der anschließenden formalen Überprüfung der Bewerbungsunterlagen einbringen. Befestigen Sie das Foto aber nicht mit einer Büroklammer oder dem Tacker. Nehmen Sie wieder ablösbare **Das Foto** Haftpunkte, Montagekleber oder Fotoecken. Kleben Sie Ihr **sollte sich** Foto rechts oben auf den Lebenslauf. **ablösen**

Eingescannte und direkt auf den Lebenslauf gedruckte Fotos sind für Sie zwar billiger, hinterlassen aber bei Personalverantwortlichen den negativen Eindruck, dass Ihnen Ihre Bewerbung nicht viel wert ist. Außerdem schürt diese Vorgehensweise den Verdacht, dass der Absender seine Bewerbung als kostengünstige Massendrucksache abwickeln will.

In Ihrer Bewerbungsphase sollten Sie immer genug Fotos zu Hause haben. Es kann passieren, dass Sie nach einem positiv verlaufenen Telefongespräch von Ihrem Wunscharbeitgeber aufgefordert werden, umgehend Ihre schriftlichen Unterlagen zuzusenden. Wenn Sie dann warten müssen, bis Ihre Bewerbungsfotos fertig sind, ist Ihr Startvorteil verloren.

Damit keine Missverständnisse aufkommen: Sie werden nicht eingestellt, nur weil Sie auf dem Foto überzeugend lächeln und richtig angezogen sind. Wichtig ist jedoch, dass Sie mit dem Bewerbungsfoto keine Fehler machen. Dann werden Sie nämlich aussortiert, bevor Sie eine Chance zur Darstellung Ihrer Fähigkeiten im Gespräch bekommen.

Auf einen Blick

Sympathiefaktor Bewerbungsfoto

- Wählen Sie Ihr Bewerbungsfoto sorgfältig aus. Ein gutes Foto löst Sympathie aus, ein schlechtes Abneigung.

Im Blick

- Verwenden Sie keine Automatenfotos. Lassen Sie von einem guten Fotografen einen Kontaktbogen mit mindestens zehn Aufnahmen erstellen.
- Bewerbungsfotos sind Porträtaufnahmen und keine Passfotos. Das heißt, man kann nicht nur Ihren Kopf, sondern auch Ihre Schultern sehen.
- Stimmen Sie die Kleidung, die Sie auf dem Foto tragen, auf die Position ab, auf die Sie sich bewerben. Ihr Bewerbungsfoto dokumentiert, wie Sie die neue Firma im Außenkontakt repräsentieren würden.
- Ein freundlicher Gesichtsausdruck ist erwünscht, das heißt, schauen Sie weder verschlossen und griesgrämig noch übertrieben anbiedernd in die Kamera. Gut ist ein nettes Lächeln, ohne dabei die Zähne zu blecken.
- Bewerberfotos sollen einen realistischen Eindruck des Kandidaten vermitteln. Das leisten nur Farbfotos.
- Beschriften Sie Ihr Foto auf der Rückseite mit Ihrem Namen und Ihrer vollständigen Adresse.
- Befestigen Sie das Foto nicht mit der Büroklammer oder dem Tacker. Nehmen Sie wieder ablösbare Haftpunkte, Montagekleber oder Fotoecken. Kleben Sie Ihr Foto rechts oben auf den Lebenslauf.
- In der Bewerbungsphase sollten Sie immer einen Vorrat an aktuellen Fotos zur Hand haben, um nach positiven Telefongesprächen schnell reagieren zu können.

11

Online bewerben:
Initiative im Internet

Zu den klassischen Möglichkeiten der Initiativbewerbung ist die Online-Bewerbung hinzugekommen. Die Zeiten, als eine Bewerbung besondere Aufmerksamkeit erzielte, nur weil sie online einging, sind vorbei. Oberflächliche Bewerbungen werden auch dann aussortiert, wenn sie über das Internet verschickt werden. Stellen Sie sich auf die Erwartungen ein, um mit Ihrer Online-Initiativbewerbung zu beeindrucken.

Solange das Internet noch exklusiv von bestimmten Personenkreisen genutzt wurde, hatte die Online-Bewerbung etwas Besonderes. Arbeitsangebote über dieses Medium richteten sich fast ausschließlich an IT-Kräfte, die das Internet bereits in ihrer täglichen Arbeit nutzten. Wer sich damals online bewarb, konnte mit einer gewissen Aufmerksamkeit von Unternehmensseite rechnen. Inzwischen ist das Internet breiten Kreisen zugänglich und die Online-Bewerbung auf qualifizierte Stellen nichts Außergewöhnliches mehr. **Mit Online-Bewerbungen zum Erfolg**

Alle, die das Internet nutzen – sei es am Arbeitsplatz oder privat –, profitieren auch von den Möglichkeiten der elektronischen Post. Eine E-Mail, ganz schnell mit einem Vertragsentwurf oder privaten Urlaubsbildern verschickt, beschleunigt die Arbeitsabläufe, spart Ausdruck, Kopie oder Abzug und ist billiger als der Versand per Post oder Kurier. Aber die Schnelligkeit und Formlosigkeit der E-Mail birgt auch ihre Gefahren.

Personalverantwortliche, die zu Online-Initiativbewerbungen befragt werden, beschweren sich meistens darüber, dass diese zu oberflächlich und zu wenig aussagekräftig sind. Hinzu kommen Klagen über viele Tippfehler, den austauschbaren Standardtext oder einen flapsigen Stil. Andere Personalverantwortliche kritisieren nicht die zu oberflächliche, sondern die zu umfangreiche, informationsüberladene und zu wenig strukturierte Bewerbung. Bewerber, die die E-Mail-Postfächer der Personalverantwortlichen mit großen Datenmengen verstopfen, **Der Teufel** können nicht auf Sympathie hoffen.

steckt Bei der Online-Bewerbung steckt der Teufel im Detail; zu-
im Detail dem gelten die gleichen Regeln wie für eine per Post verschickte Initiativbewerbung: Die Bewerbung muss auf die Wunschposition zugeschnitten sein und als aussagekräftiges Kurzgutachten über die Qualifikationen des Bewerbers ausgearbeitet werden.

Der schnelle Weg: die Online-Initiativbewerbung

Die übliche Online-Bewerbung besteht aus einem Anschreiben und einem Lebenslauf. Diese Unterlagen müssen ein aussagekräftiges Bild vom Bewerber vermitteln. Zwar gilt auch bei der postalischen Bewerbung, dass Anschreiben und Lebenslauf die entscheidenden Unterlagen sind, die Personalverantwortliche **Spezielle** dazu veranlassen, Sie zum Vorstellungsgespräch einzuladen **Anforde-** oder Ihnen eine Absage zu erteilen. Dennoch wird das Bild des **rungen der** Bewerbers durch die zusätzlichen Dokumente abgerundet. Bei **Online-** der Online-Bewerbung fehlen diese Faktoren.
Initiativ- Besonders wenn Unternehmen dazu auffordern, nur den Le-
bewerbung benslauf zuzumailen oder ein Online-Bewerbungsformular auszufüllen, ist wenig Platz für die notwendige Überzeugungsarbeit vorhanden. Aber auch hier, wie generell im Bewerbungsverfahren, gilt: Der Initiativbewerber muss es schaffen, sein besonderes Qualifikationsprofil deutlich zu machen.

Bei diesen formalen Einschränkungen wird es schwer, seine Individualität darzustellen und zu überzeugen, dass man genau der richtige Bewerber für die Wunschposition ist. Die Strategie, die in der Online-Initiativbewerbung zum Ziel führt, lautet: mit aussagekräftigen Stichworten ein verdichtetes individuelles Profil vermitteln.

Ein verdichtetes Profil weckt Interesse

Damit Ihr Profil auch seinen Empfänger erreicht, müssen Sie es so versenden, dass es gelesen werden kann. Erscheinen auf dem Bildschirm eines Personalverantwortlichen kryptische Buchstaben und Zahlenkolonnen, war die von Ihnen geleistete, mühsame Detailarbeit umsonst. Der häufig beschworene ungehinderte und unkomplizierte Informationsaustausch über das Internet stellt sich oft schwieriger dar, als vermutet – beispielsweise, wenn E-Mail-Attachments in einem Format erstellt werden, die beim Empfänger nicht geöffnet werden können.

Versenden Sie eine E-Mail, in die Anschreiben und Lebenslauf integriert sind. E-Mails mit Dateianhängen sind ein delikates Unterfangen: Sind Attachments erwünscht? Welche Programme sind auf dem Empfängerrechner installiert? Welche Dateiformate können geöffnet werden? Wie technisch versiert ist der Empfänger Ihrer E-Mail? Fehler beim Versand von Dateianhängen können Sie nur vermeiden, wenn Sie durch einen Anruf geklärt haben, dass Ihre Daten auch dargestellt werden können.

Vorsicht mit Ihrem elektronischen Absender! Verwenden Sie niemals die E-Mail-Adresse Ihres Unternehmens. Nicht nur Ihren Vorgesetzten wird es stören, dass Sie während Ihrer Arbeitszeit Bewerbungsaktivitäten entfalten. Auch das von Ihnen umworbene Unternehmen wird es nicht schätzen, dass Sie während Ihrer bezahlten Arbeitszeit persönlichen Interessen nachgehen. Verwenden Sie für Ihre Online-Initiativbewerbung immer eine private E-Mail-Adresse als elektronischen Absender. Greifen Sie auf die kostenlosen Angebot beispielsweise un-

Verwenden Sie Ihre private E-Mail-Adresse

ter *www.gmx.de* oder *www.freenet.de* zurück. Dort können Sie sich schnell und problemlos eine neue E-Mail-Adresse einrichten. Das empfiehlt sich auch, wenn Ihre bisherige E-Mail-Adresse zu witzig – *DerDicke@aol.de* – und damit für eine Bewerbung nicht geeignet ist.

Erstellen Sie Ihren Text genauso sorgfältig wie bei einer schriftlichen Bewerbung

Der gängige Umgangston zwischen Bewerbern und Personalverantwortlichen hat sich mit der Einführung des Internets nicht geändert. Verzichten Sie auf den lockeren und kumpelhaften Sprachstil, der sonst in E-Mails üblich ist. Erstellen Sie Ihre Texte genauso sorgfältig wie bei einer schriftlichen Initiativbewerbung. Arbeiten Sie Ihre Online-Bewerbung immer offline aus. Achten Sie auf Rechtschreibung, Satzstellung und eine übersichtliche Strukturierung des Textes.

Riskieren Sie nicht, dass Ihre Bewerbung mit einer Junk-Mail verwechselt und automatisch gelöscht wird. Füllen Sie immer die Betreffzeile aus und machen Sie auf den ersten Blick ersichtlich, dass es sich um eine Bewerbung handelt. Schreiben Sie beispielsweise »Bewerbung als Vertriebsleiter«. Auch wenn Sie Online-Bewerbungen an mehrere Unternehmen verschicken wollen, sollten Sie nie die Rundschreibenfunktion (Copy carbon/Cc) nutzen. Der Empfänger kann dann sofort sehen, dass Sie mit Bewerbungsrundschreiben arbeiten und an welche Unternehmen Sie sich noch gewandt haben.

Die Online-Initiativbewerbung ist eine Möglichkeit, sich bei interessanten Unternehmen ins Gespräch zu bringen. Glauben Sie aber nicht, sich damit Arbeit sparen zu können.

Bereiten Sie Ihre Bewerbung telefonisch vor

Ihre Online-Initiativbewerbung muss genauso gut vorbereitet und aussagekräftig ausgestaltet werden wie die Initiativbewerbung per Post. Mailen Sie Unternehmen nicht einfach an. Greifen Sie vorher zum Telefonhörer, um Ihre Bewerbung anzukündigen und Zusatzinformationen zu erfragen. Verschicken Sie auch über das Internet nur auf die jeweilige Wunschposition zugeschnittene Initiativanschreiben und Lebensläufe.

Wenn Sie sich eingehender mit der Online-Bewerbung befassen wollen, sollten Sie zu unserem Ratgeber *Die gelungene Online-Bewerbung. Vom ersten Kontakt zum Vorstellungsgespräch* greifen. Sie finden dort alle Informationen, die Sie für Internet-Bewerbungen benötigen. Neben Tipps und Beispielen für die richtige Form und die sinnvolle inhaltliche Ausgestaltung von Online-Anschreiben und Online-Lebensläufen erklären wir Ihnen auch den Umgang mit Internet-Bewerbungsformularen und Online-Assessments.

Hier finden Sie weitere Informationen

Auf einen Blick

Online bewerben: Initiative im Internet

Im Blick

- Online-Bewerbungen sind nichts Außergewöhnliches mehr und erzielen deshalb keine besondere Aufmerksamkeit.
- Initiativbewerber, die sich online bewerben, erliegen leicht der Versuchung, ihre Bewerbung nachlässig zu gestalten.
- Online-Initiativbewerbungen müssen ebenso auf die Wunschposition zugeschnitten sein wie per Post verschickte Initiativbewerbungen.
- Üblicherweise werden als Initiativbewerbung über das Internet Anschreiben und Lebenslauf verschickt.
- Der unkomplizierte Informationsaustausch über das Internet ist keine Selbstverständlichkeit. Klären Sie, ob Ihre Online-Bewerbung auch gelesen werden kann.
- Die Integration von Anschreiben und Lebenslauf in eine E-Mail ist der sicherste Weg, Konvertierungsprobleme zu vermeiden.
- Die derzeitige E-Mail-Adresse Ihres Unternehmens sollte niemals für Bewerbungen genutzt werden. Verwenden Sie stets einen privaten E-Mail-Absender.
- Der im Internet übliche lockere Sprachstil hat in Online-Initiativbewerbungen nichts zu suchen.

- Machen Sie in der Betreffzeile der E-Mail kenntlich, dass es sich um eine Bewerbung handelt, sonst könnte sie mit einer Junk-Mail verwechselt werden.
- Bereiten Sie auch Online-Initiativbewerbungen durch einen telefonischen Kontakt vor.

12

Stellengesuche:
Bringen Sie Ihr Profil ins Gespräch

Sie können Ihre Initiative im Bewerbungsverfahren auch in Stellengesuche einbringen. Präsentieren Sie sich möglichen Arbeitgebern in Printmedien und in Jobbörsen im Internet. Wichtig dabei ist, bei begrenztem Platz möglichst aussagekräftige Informationen zu vermitteln. Schließlich soll Ihr Stellengesuch als Appetithappen wirken und Unternehmen dazu veranlassen, sich bei Ihnen zu melden.

Stellengesuche in Printmedien und in Jobbörsen sollten sie aber immer nur als zusätzliche Möglichkeit in Anspruch nehmen. Sie haben mehr Erfolg, wenn Sie auf Ihr Wunschunternehmen aktiv zugehen. Für die meisten Personalverantwortlichen im deutschsprachigen Raum ist die Vorstellung, selbst nach Bewerbern zu suchen, nach wie vor befremdlich. Es sei denn, es handelt sich um besonders gefragte Zielgruppen. Werden beispielsweise Programmierer, IT-Consultants oder Netzwerkbetreuer gesucht, sind die Chancen für Unternehmen größer, wenn Sie von sich aus gezielt nach geeigneten Mitarbeitern suchen. **Bewerbersuche im Internet**

Wir kennen Bewerber, die über die Schaltung eines Stellengesuches in einer Zeitung Unternehmen auf sich aufmerksam gemacht haben. Generelle Aussagen über den Nutzen von Stellengesuchen in Printmedien gibt es kaum. Momentan zeichnet sich ganz deutlich der Trend ab, dass Unternehmen Stellengesuche lieber in Internet-Jobbörsen sichten. Das hat ganz pragmatische Gründe: Nach dem Eingeben bestimmter

Suchkriterien können Personalverantwortliche schnell auf entsprechende Bewerberprofile zugreifen. Das mühsame Blättern in diversen Zeitungen und Zeitschriften ist dagegen sehr zeitaufwändig.

Wir empfehlen Initiativbewerbern, Stellengesuche in Internet-Jobbörsen zu nutzen. Sie berücksichtigen damit nicht nur das mittlerweile gängige Vorgehen von Personalverantwortlichen bei der Suche nach neuen Mitarbeitern. Hinzu kommt, dass Sie bei Stellengesuchen in Jobbörsen mehr Platz für die Darstellung Ihres Profils haben, was hier zudem länger präsent ist als in einer einmalig erscheinenden Zeitungsausgabe. Auch die Kostenvorteile sprechen ganz eindeutig für Stellengesuche in Internet-Jobbörsen. Für Bewerber sind Stellengesuche dort üblicherweise kostenlos.

Nutzen Sie die Jobbörsen im Internet

Werbeanzeigen in eigener Sache

Der Platz bei Stellengesuchen ist üblicherweise äußerst begrenzt. Dies gilt besonders für Stellengesuche in Printmedien. Ihr Budget ist schließlich begrenzt. Bei 250 bis 500 Euro für die einmalige Schaltung eines Stellengesuchs erschöpfen sich finanzielle Möglichkeiten schnell. Das Internet bietet demgegenüber Kostenvorteile. Allerdings ist der Platz zur Selbstdarstellung dort oft normiert.

Damit Ihre Individualität nicht auf der Strecke bleibt, müssen Sie genau überlegen, welche Inhalte Ihre Werbeanzeige in eigener Sache vermitteln soll. In keinem Fall kommen Sie darum herum, mit extrem verdichteten Informationen zu operieren. Allgemein gehaltene Stellengesuche bringen Sie nicht weiter. Personalverantwortliche müssen in Ihrer Anzeige auf interessante Schlüsselworte stoßen, sonst entsteht gar nicht erst Interesse.

Verwenden Sie Schlüsselworte

Verschwommene Wünsche

Neue Herausforderung gesucht

Motivierter Allroundmanager sucht neuen Wirkungskreis. Auslandserfahrung ist ebenso vorhanden wie jahrzehntelange Erfahrung im Sondermaschinenbau. Einsatz ab sofort möglich. Chiffre ABC 3214

Für einen Personalverantwortlichen ist aus diesem Stellengesuch kein Profil herauszulesen. Es wird nicht klar, für welche berufliche Position der Bewerber geeignet ist. Stellengesuche dieser Art werden einfach überlesen. Ein Kontakt zu einem Unternehmen lässt sich so nicht herstellen. Der Zusatz »Einsatz ab sofort möglich« warnt Personalverantwortliche zudem, sich überhaupt die Arbeit zu machen, ein Antwortschreiben aufzusetzen. Der Bewerber scheint nach seiner Kündigung dringend irgendeine Arbeit zu suchen.

Mehr Aussagekraft gewinnen Stellengesuche mit der stichwortartigen Aufzählung der beruflichen Erfahrungen. Erst dann entsteht beim Leser ein überprüfungswürdiges Bild des Bewerbers. In der Überschrift sollte die momentane Berufsbezeichnung genannt werden. Wer einen zu weiten Tätigkeitsbereich angibt, erschwert Personalverantwortlichen die Zuordnung des Bewerberprofils zu einer offenen Stelle im Unternehmen.

Orientieren Sie sich an Ihrem Lebenslauf

Die inhaltliche Ausgestaltung des Anzeigentextes gelingt am besten, wenn Sie den für Ihre Wunschposition ausgearbeiteten Lebenslauf als Arbeitshilfe heranziehen. Die Tätigkeitsangaben zu den einzelnen beruflichen Positionen sind das

Material, das Sie für Stellengesuche verwenden können. Entscheiden Sie sich für besonders prägnante Angaben, um ein Profil in den Raum zu stellen, das für Unternehmen interessant ist.

Auf den Punkt gebracht

Positiv-beispiel

Logistikmanager

12 J. Berufserfahrung in der Automobilbranche: Aufbau von Zuliefererparks im Ausland, Bedarfsanalyse, Beschaffungsmarktforschung im In- und Ausland, Preisermittlung, Lieferantenauswahl, SAP R/3 und führungserfahren, 38 J., örtlich ungebunden. Chiffre ABC 3214

Geben Sie Ihren bevorzugten Einsatzort an

Vergessen Sie nicht die Angabe Ihres Alters und des von Ihnen bevorzugten Einsatzorts. Sie können die Postleitzahl verwenden oder auf Kennbuchstaben von Kfz-Nummernschildern zurückgreifen, beispielsweise Raum 20000 oder Raum HH, PI. Falls Ihr Geschlecht nicht aus der Überschrift deutlich wird, sollten Sie hinter der Altersangabe noch w. oder m. vermerken. Lassen Sie sich bei der Anzeigengestaltung beraten. Man wird Ihnen gern einige Entwürfe in unterschiedlichen Größen und mit unterschiedlichen Gestaltungsmerkmalen vorlegen. Entscheiden Sie sich für ein Stellengesuch, das klar aufgebaut ist und bei dem die Informationen schnell erfasst werden können.

Bei der Wahl des Printmediums sollten Sie bedenken, dass Entscheider in Unternehmen bei der Suche nach bestimmten

Zielgruppen auf die in diesem Fachgebiet gängigen Spezialzeitschriften und Branchenmagazine zurückgreifen. Bei den überregionalen Zeitungen gilt noch immer die Regel, dass in den *VDI-Nachrichten* hauptsächlich Ingenieure und Naturwissenschaftler gehandelt werden, im *Handelsblatt* sind vorwiegend Wirtschaftswissenschaftler zu finden. *Die Zeit* hat besonders Forschungspersonal und Geisteswissenschaftler im Angebot. *Frankfurter Allgemeine Zeitung, Die Welt/Welt am Sonntag, Süddeutsche Zeitung* und *Frankfurter Rundschau* haben ein durchmischteres Angebot. Wer gezielt in einer bestimmten Region auf sich aufmerksam machen möchte, sollte sein Stellengesuch in regionalen Tageszeitungen schalten.

Wer liest was?

Stellengesuche in Internet-Jobbörsen

In Jobbörsen im Internet bieten sich Ihnen Möglichkeiten, die Rollen im Bewerbungsverfahren einmal zu vertauschen und den Erstkontakt dem Unternehmen zu überlassen. Bei Stellengesuchen in Jobbörsen geben Sie Ihr Profil in eine Datenbank ein. Diese Datenbank können Unternehmen dann nach interessanten Mitarbeitern durchsuchen.

Ob Sie in einem Stellengesuch Ihr Profil aussagekräftig darstellen können, hängt von den Bewerbungsformularen ab, die Ihnen vorgegeben werden. In manchen Jobbörsen finden Sie als Formular nur Listen, aus denen Sie vorgegebene Stichworte auswählen dürfen. In anderen Jobbörsen gibt es Formulare, in denen Sie Ihre beruflichen Erfahrungen, Ihre Berufsausbildung und spezielle Kenntnisse in Freitextfeldern umfassender beschreiben können. Manchmal dürfen Sie sogar einen eigenen Lebenslauf verfassen und ein kurzes Anschreiben ins Netz stellen. Klicken Sie einmal die in der Übersicht 3 aufgeführten Jobbörsen durch, und lernen Sie die Möglichkeiten kennen, die Sie für die Aufgabe eines Stellengesuches haben.

Nutzen Sie Freiräume

Platz für Ihr Stellengesuch

Übersicht 3

www.jobpilot.de
www.jobscout24.de
www.jobware.de
www.stellenanzeigen.de
www.stepstone.de

Arbeiten Sie stets mit plakativen Schlüsselbegriffen, um ihr Profil deutlich zu machen. Nutzen Sie Freitextfelder, um stichwortartig Ihre Qualifikationen aufzuzählen. Einsilbigkeit oder ausschweifende Formulierungen sind in Stellengesuchen im Internet fehl am Platz. Personalverantwortliche werden nur dann auf Sie aufmerksam, wenn in Ihrem Stellengesuch die richtigen Suchbegriffe auftauchen. Das folgende Negativbeispiel zeigt Ihnen, dass Sie mit zu knappen Angaben nicht weiterkommen.

Angaben ohne Aussagekraft

Letzte Tätigkeit: Vertriebsmitarbeiter
Besondere Kenntnisse: Teamfähigkeit, Einsatzwille

Personalverantwortliche vermissen nicht nur in Online-Bewerbungen, sondern auch bei Stellengesuchen in Internet-Jobbörsen oft Ernsthaftigkeit und Aussagekraft. Das Negativbeispiel bestätigt diese Einschätzung. Die inhaltlichen Angaben in den Feldern »Letzte Tätigkeit« und »Besondere Kenntnisse« lassen eher vermuten, dass ein Bewerber aus lauter Langeweile ein Stellengesuch verfasst hat. Obwohl Platz für eine Kurzdarstellung der momentanen Aufgaben vorhanden wäre, wird nur die Positionsbezeichnung angegeben. Die Formulierung Vertriebsmitarbeiter ist so vage, dass der Nutzen für ein Unternehmen nicht sichtbar wird. Auch in der Rubrik »Besondere Kenntnisse« tauchen nur Floskeln aus dem Bereich soziale Kompetenz auf. Ein individuelles Profil wird nicht deutlich. Suchroutinen würden dieses Stellengesuch gar nicht erst erfassen.

Heben Sie Ihren Wert für das Unternehmen hervor

Es ist durchaus möglich, sich in virtuellen Stellengesuchen profiliert darzustellen. Das Positivbeispiel zeigt eine für die Datenbankauswertung mittels Suchroutinen optimierte Selbstdarstellung.

Knapper Platz optimal genutzt

Positiv-beispiel

Letzte Tätigkeit:	Werkzeugmaschinen GmbH, Neuss, Vertriebsabteilung, Fachberater, Tätigkeiten: Neukundenakquisition, Projektverfolgung, Warendisposition, Durchführung von Direkt-Mailing-Aktionen, Erstellung von Produkpräsentationen, Unterstützung des Außendienstes, telefonische Kundenberatung
Besondere Kenntnisse:	Absatz- und Verkaufsförderung, Direktmarketing, logistische Abwicklung, Sicherstellung von Lieferterminen und Qualität, Veranstaltungsorganisation, MS-Office Pro, PC-Tourenplanung, gutes Englisch

Die knappen Möglichkeiten zur Darstellung seines Profils hat der Bewerber im Positivbeispiel optimal genutzt. Er hat mit aussagekräftigen Schlüsselbegriffen gearbeitet. Sein individuelles Profil wird durch die Aufzählung der von ihm bewältigten beruflichen Aufgaben im Feld »Letzte Tätigkeit« deutlich. Die Angaben im Feld »Besondere Kenntnisse« ergänzen das Profil und liefern weitere Stichworte, auf die bei der elektronischen

Auswertung zugegriffen werden kann. Der Bewerber hat damit

Eine sorgfältige Vorbereitung zahlt sich aus gute Chancen, Unternehmen bei ihrer Suche nach neuen Mitarbeitern im Vertrieb aufzufallen.

Nutzen Sie die Möglichkeiten, die Ihnen Stellengesuche bieten. Bedenken Sie aber, dass Sie für Stellengesuche inhaltliche Vorarbeit leisten müssen. Sonst verpufft die Wirkung von Stellengesuchen und Ihre Bemühungen waren umsonst.

Auf einen Blick

Stellengesuche: Bringen Sie Ihr Profil ins Gespräch

Im Blick

- Sie können Stellengesuche für Ihre Initiativbewerbung nutzen. Sehen Sie sie aber immer nur als zusätzliche Möglichkeit neben der aktiven Ansprache von Wunschunternehmen.
- Besonders gefragte Bewerberzielgruppen profitieren am meisten von Stellengesuchen.
- In Printmedien und in Internet-Jobbörsen können Stellengesuche geschaltet werden.
- Allgemein gehaltene Stellengesuche führen zu nichts. Personalverantwortliche müssen ein Profil erkennen können.
- Der begrenzte Platz zur Selbstdarstellung macht die Arbeit mit Schlüsselbegriffen notwendig.
- Stellengesuche im Internet werden wegen ihrer besseren und schnelleren Auswertbarkeit von Personalverantwortlichen bevorzugt.
- Freitextfelder bei Stellengesuchen in Internet-Jobbörsen sollten stichwortartig mit Angaben zu Ihren beruflichen Erfahrungen ausgefüllt werden.

13

Etappensieg:
Das Unternehmen meldet sich

Hat Ihre Initiativbewerbung Interesse geweckt, greifen manche Personalverantwortliche zum Telefon, um sich einen intensiveren Eindruck von Ihnen machen zu können. Verspielen Sie am Telefon nicht den guten Eindruck, den Ihre Initiativbewerbung hinterlassen hat. Wir zeigen Ihnen, wie Sie im telefonischen Job-Interview souverän agieren können.

Der Griff zum Telefon bringt nicht nur Ihnen als Bewerber Vorteile. Auch Personalverantwortliche nutzen das Telefon, um sich ein umfassenderes Bild zu machen, als dies mit der Durchsicht von schriftlichen Unterlagen möglich ist. Hinzu kommen die Kostenvorteile, die ein telefonisches Job-Interview den Unternehmen bringt. Der Ersatz von Reisekosten und eventuell notwendiger Übernachtungskosten des Bewerbers entfallen. Längere Unterbrechungen im Tagesgeschäft der Personalabteilungen sind nicht unbedingt notwendig. Der Zugriff auf den Bewerber kann schnell und direkt erfolgen.

Ihre Persönlichkeit ist gefragt

Selbstverständlich werden sich Unternehmen vor einer Einstellungsentscheidung noch einen persönlichen Eindruck in einem Vorstellungsgespräch vom Bewerber machen. Ein vorgeschaltetes telefonisches Job-Interview vermittelt Personalverantwortlichen aber bereits Informationen, die aus der Initiativbewerbung nicht direkt herauszulesen sind: Ob ein Bewerber im Gespräch auf andere Menschen eingehen, sich verständlich ausdrücken, berufliche Ziele äußern, mit schwierigen Fragen umgehen, Dinge auf den Punkt bringen und in allen Gesprächssituationen gelassen bleiben kann, lässt sich anhand der Bewerbungsunterlagen nur schwer einschätzen. Im telefonischen Job-Interview werden diese kommunikativen Fähigkeiten des Bewerbers jedoch sehr schnell deutlich.

Die Ernst-haftigkeit Ihrer Bewer-bung wird geprüft Ein ganz wichtiger Punkt ist für Personalverantwortliche, am Telefon die Ernsthaftigkeit der Initiativbewerbung zu überprüfen und die Gründe für den Stellenwechsel zu hinterfragen. Personalverantwortliche wissen, dass Initiativbewerbungen immer wieder zu Testzwecken verschickt werden. Zum einen um die Höhe des eigenen Marktwerts zu überprüfen. Zum anderen aus einer Wechseleuphorie heraus, die oft aber schnell wieder abklingt, wenn am derzeitigen Arbeitsplatz alles wieder seinen gewohnten Gang geht.

Das Ziel vor Augen

Stellen Sie sicher, dass Sie telefonisch erreichbar sind: Verschicken Sie also Ihre Initiativbewerbung nicht, bevor Sie in Urlaub gehen. Haben Sie Personalverantwortlichen für eine telefonische Kontaktaufnahme eine bestimmte Zeit genannt, sollten Sie auch tatsächlich anwesend sein. Wenn interessierte Unternehmen zum dritten Mal vergeblich mit Ihnen zu telefonieren versuchen, verpuffen Ihre guten bisherigen Bewerbungsleistungen.

Telefon-interviews werden in der Regel angekündigt Üblicherweise werden telefonische Job-Interviews von den Unternehmen angekündigt. Personalverantwortliche lassen mit Ihnen einen Termin vereinbaren, an dem sie anrufen werden, um sich mit Ihnen zu unterhalten. Da diese Termine in der Regel sehr kurzfristig einberaumt werden, sollten Sie mit Ihrer Vorbereitung rechtzeitig beginnen.

Steht der Termin fest, drucken Sie das Anschreiben und den Lebenslauf, die Sie an das Unternehmen versandt haben, aus. Papier und Stift für Notizen während des Telefonats sollten Sie ebenfalls bereithalten. Sorgen Sie dafür, dass Sie nicht gestört werden, die Akkus Ihres schnurlosen Telefons geladen sind, und schalten Sie unbedingt Komfortmerkmale Ihres Telefonanschlusses, wie »Anklopfen bei laufendem Gespräch« aus.

Für die inhaltliche Ausgestaltung des telefonischen Job-Interviews ist Ihr Bewerberprofil, so wie Sie es in Ihrem Initiativanschreiben aufbereitet haben, von zentraler Bedeutung. Die entscheidende Frage, die sich Personalverantwortliche während einer Bewerbersichtung stellen, lautet: »Warum sollten wir gerade diesen Bewerber einstellen?« Die Verpflichtung, ein überprüfungswürdiges Bewerberprofil zu liefern, liegt bei Ihnen. Verlassen Sie sich nicht darauf, dass Personalverantwortliche Ihnen die Arbeit abnehmen und aus vereinzelten Informationshäppchen, die Sie während des Telefonats geben, ein Bewerberprofil für Sie zusammenmontieren. Sie müssen sich selbst in Szene setzen. **»Warum sollten wir ausgerechnet Sie einstellen?«**

Nutzen Sie für die Beantwortung der zentralen Frage »Warum gerade Sie?« die Arbeit, die Sie im Kapitel *Initiativanschreiben: mit Profil zum Erfolg* geleistet haben. Der Inhalt des von Ihnen entwickelten Anschreibens ist nicht nur die Antwort darauf, warum man gerade Sie einstellen sollte, sie dient auch als Antwort auf die Fragen: »Was unterscheidet Sie von anderen Bewerbern?«; »Welche Kenntnisse und Fähigkeiten bringen Sie für die neue Position mit?«; »Können Sie Ihren Werdegang in wenigen Sätzen beschreiben?« oder »Gibt es einen roten Faden in Ihrer beruflichen Entwicklung?« **Bereiten Sie sich auf die häufigsten Fragen vor**

Der nächste wichtige Punkt, über den Sie sich jetzt Gedanken machen sollten, sind die Schnittstellen, die zwischen Ihren bisherigen Tätigkeiten und der Wunschposition bestehen. Je überzeugender Sie argumentieren können, dass Sie bereits mit den Aufgaben der von Ihnen angestrebten neuen Berufstätigkeit in Berührung gekommen sind, desto erfolgreicher wird das telefonische Job-Interview für Sie verlaufen. Führen Sie sich Ihren Lebenslauf vor Augen, machen Sie sich noch einmal klar, welche Tätigkeiten Sie in Ihren verschiedenen beruflichen Positionen ausgeübt haben. Suchen Sie noch einmal die Schlüsselbegriffe heraus, die belegen, dass Sie um die Anforderungen der Wunschposition wissen.

Die letzte Hürde überspringen

Lernen Sie, souverän zu antworten

Nachdem Sie Ihr Initiativanschreiben und Ihren Lebenslauf erneut durchgegangen sind, sollten Sie sich mit weiteren Fragen, die Ihnen von Personalverantwortlichen gestellt werden könnten, befassen. Trainieren Sie dies anhand unserer Übung »Drängende Fragen und Ihre Antworten«.

Drängende Fragen und Ihre Antworten

Übung

»Was wollen Sie noch erreichen?«
Unser Tipp: Es geht um berufliche Ziele!
Ihre Antwort: . . . .
. . . .

»Warum wollen Sie wechseln?«
Unser Tipp: Erweiterte Gestaltungsspielräume, Ausbau vorhandener Qualifikationen.
Ihre Antwort: . . . .
. . . .

»Welche Berufsausbildung bringen Sie mit?«
Unser Tipp: Nicht nur Titel (formale Bezeichnung) nennen, sondern ganz kurz die bisherige berufliche Entwicklung skizzieren (Stationen und jeweils ein bis zwei Tätigkeiten).
Ihre Antwort: . . . .
. . . .

»Was versprechen Sie sich davon, bei uns zu arbeiten?«
Unser Tipp: Tätigkeiten fortführen, die eine Nähe zur Wunschposition haben, berufliche Erfolge wiederholen.
Ihre Antwort: . . . .
. . . .

»Hat Sie jemals etwas besonders enttäuscht?«
Unser Tipp: Nicht auf Enttäuschungen eingehen, sondern generelle Verbesserungsmöglichkeiten ansprechen, beispielsweise »bessere Informationsweitergabe«.
Ihre Antwort: . . . .
. . . .

»Wie war das Verhältnis zu Ihrem Vorgesetzten?«
Unser Tipp: Auch bei schwierigen Vorgesetzten gute Zusammenarbeit betonen.
Ihre Antwort: . . . .
. . . .

»Welche Unterstützung brauchen Sie für Ihre Arbeit?«
Unser Tipp: Keine finanziellen oder personellen Forderungen stellen, besser auf gute Einbindung in Informations- und Entscheidungswege verweisen.
Ihre Antwort: . . . .
. . . .

»Wie kommen Sie auf unser Unternehmen?«
Unser Tipp: Verweisen Sie auf Presseveröffentlichungen, persönliche Kontakte, Internetrecherchen, Fachmessen und Ähnliches.
Ihre Antwort: . . . .
. . . .

»Wie würden Sie sich beschreiben?«
Unser Tipp: Profil aus dem Initiativanschreiben verwenden.
Ihre Antwort: . . . .
. . . .

»Gibt es etwas, was Sie an anderen Menschen stört?«
Unser Tipp: Betonen Sie Ihre Fähigkeit, sich auf andere Menschen einzustellen.
Ihre Antwort: . . . .
. . . .

»Warum wollen Sie in unserem Unternehmen arbeiten?«
Unser Tipp: Branchenkenntnisse und Berufserfahrung hervorheben, Überschneidungen bisheriger Tätigkeiten mit den Anforderungen der Wunschposition betonen.
Ihre Antwort: . . . .
. . . .

»Kennen Sie Produkte/Dienstleistungen unseres Unternehmens?«
Unser Tipp: Im Internet recherchieren.
Ihre Antwort: . . . .
. . . .

»Interessieren Sie auch andere Tätigkeiten in unserem Unternehmen?«
Unser Tipp: Prinzipiell offen sein, aber betonen, dass Ihr Profil nutzbringend einsetzbar sein muss.
Ihre Antwort: . . . .
. . . .

»Haben Sie Fragen an uns?«

In dieser Übung haben wir Ihnen einen Ausschnitt aus dem Fragenkatalog von Personalverantwortlichen vorgestellt. Damit sollten Sie sich vor einem telefonischen Job-Interview unbedingt auseinander setzen. Spontane Antworten auf diese Fragen fallen Bewerbern meistens schwer. Das Job-Interview wird zäh und zieht sich in die Länge, wenn Bewerber zu oft bei einer Antwort passen müssen, weil sie nicht wissen, worauf die Frage abzielt. Personalverantwortliche werden dann schnell das Interesse an Ihnen verlieren.

Spontane Antworten fallen meistens schwer

Selbstverständlich können Personalverantwortliche Ihnen noch mehr Fragen bieten. Stellenwechsler, die sich umfassend über Bewerberinterviews informieren möchten, sollten unsere Bücher *Souverän im Vorstellungsgespräch, Die optimale Vorbereitung für Um- und Aufsteiger* oder *Professionelle Bewerbungsberatung für Führungskräfte, Der Praxisratgeber für Ihren beruflichen Erfolg* lesen. Sie finden in beiden Ratgebern 100 Beispielfragen mit ungeeigneten und geeigneten Antworten. Informationen zu den einzelnen Frageblöcken »Leistungsmotivation«, »berufliche Entwicklung«, »Führungserfahrung«, »Persönlichkeit« und »private Lebensgestaltung« legen Ihnen ausführlich dar, warum Personalverantwortliche gerade diese Fragen stellen. Sie lernen, Gesprächsstrategien der Unternehmensseite zu durchschauen und auch auf Stressfragen angemessen zu reagieren.

Etappensieg: Das Unternehmen meldet sich

- Ein telefonisches Job-Interview vermittelt Personalverantwortlichen Informationen, die die Initiativbewerbung ergänzen.

- In einem telefonischen Job-Interview geht es vorwiegend um die kommunikativen Fähigkeiten des Bewerbers und darum, ob seine Bewerbung überhaupt ernst gemeint ist.

- Job-Interviews werden von den Unternehmen angekündigt. Die Termine werden allerdings recht kurzfristig vereinbart.

- Die zentrale Frage im telefonischen Job-Interview lautet: »Warum sollten wir gerade Sie einstellen?« Ihre Antwort liefert Ihr für das Initiativanschreiben entwickeltes Profil.

- Sie müssen sich selbst in Szene setzen. Vereinzelte Informationshäppchen reichen nicht aus, um Ihr Profil deutlich zu machen.

- Je mehr Überschneidungen Ihrer bisherigen Tätigkeiten mit den Aufgaben in der Wunschposition deutlich werden, desto erfolgreicher wird das telefonische Job-Interview verlaufen.

- Setzen Sie sich vor dem Telefongespräch mit möglichen Fragen von Personalverantwortlichen auseinander. Müssen Personalverantwortliche Bewerbern die Antworten mühevoll entlocken, erlischt das Interesse meist schnell.

14

Durch Nachfassaktionen im Gespräch bleiben

Bei Initiativbewerbungen sollten Sie immer am Ball bleiben. Ihre Bewerbungsaktivitäten sollten nicht mit dem Versand der Unterlagen enden. Bringen Sie sich rechtzeitig wieder ins Gespräch. Verscherzen Sie sich aber nicht das bisher aufgebaute Wohlwollen. Achten Sie darauf, Personalverantwortliche nicht versehentlich unter Druck zu setzen.

Da Sie sich mit Ihrer Initiativbewerbung außerhalb der üblichen Bewerbungswege befinden, sollten Sie nicht damit rechnen, dass man den Eingang bestätigt und sich alles automatisch zu Ihrer Zufriedenheit entwickelt. Ihre Initiative ist auch nach dem Versand Ihrer Unterlagen gefragt. **Dokumentieren Sie die**

Um die Ernsthaftigkeit Ihrer Initiativbewerbung zu dokumentieren, sollten Sie sich einige Zeit nach dem Absenden Ihrer Unterlagen beim Unternehmen melden. Hierbei kommt es auf den richtigen Ton an. Die Bewerbung läuft schließlich noch, und Sie telefonieren mit einem an der Entscheidung Beteiligten. Sorgen Sie dafür, dass Ihre Nachfassaktion souverän wirkt. **Ernsthaftigkeit Ihrer Bewerbung**

Souverän nachfassen

Bei Initiativbewerbungen können Sie nach etwa einer Woche den Kontakt zum Unternehmen auffrischen. Diese kurze Frist empfiehlt sich, damit Ihre Bewerbung nicht im Tagesgeschäft der Personalabteilung untergeht. Stellen Sie sicher, dass Ihre Bewerbung Ihren Ansprechpartner auch erreicht hat. Meistens ist das der Fall, ein Anruf lohnt sich aber trotzdem, und sei es, um den Personalverantwortlichen indirekt daran zu erinnern, dass auf seinem Schreibtisch noch eine interessante Bewerbung liegt, die eine nähere Prüfung verdient hat.

Bleiben Sie am Ball, bis eine Entscheidung getroffen ist Ihre Strategie, am Ball zu bleiben, bis das Unternehmen eine Entscheidung getroffen hat, dient vorrangig dazu, den Personalverantwortlichen zu signalisieren, dass Sie es mit Ihrer Bewerbung wirklich ernst meinen. Inhaltliche Fragen bringen Sie nach der Versendung Ihrer Initiativbewerbung allerdings nicht mehr weiter. Haken Initiativbewerber in der Personalabteilung mit Fragen wie: »Welche Stelle haben Sie denn nun für mich vorgesehen?«; »Was meinen Sie, wofür eigne ich mich?« oder »Wann kann ich anfangen?« nach, zeigen sie damit lediglich, dass sie unter Druck stehen und im eigenen Stressmanagement über wenig Ressourcen verfügen. Die hektische Aktivität, die diese Bewerber nach ihrer Bewerbung entwickeln, hätten sie besser in die Vorbereitung investiert. Machen Sie es besser.

Machen Sie Ihr bestehendes Interesse deutlich Prinzipiell freuen sich Unternehmen über engagierte Initiativbewerber, die sich nach einiger Zeit wieder ins Gespräch bringen. Sie können aber die Auswahlprozesse nur in seltenen Fällen beschleunigen und Sie werden es auch nicht schaffen, eine Entscheidung zu erzwingen. Zeigen Sie Ihr Einfühlungsvermögen für innerbetriebliche Entscheidungsvorgänge. Machen Sie deutlich, dass Sie nach wie vor an einer Mitarbeit im Unternehmen interessiert sind, und bitten Sie um die Angabe eines Zeitrahmens, innerhalb dessen eine Entscheidung gefällt wird. Formale Fragen zu dem weiteren Ablauf des Auswahlverfahrens sind erlaubt. Beispielsweise: »Wie geht es im Auswahlverfahren weiter?« oder »Bis wann kann ich mit einer Nachricht von Ihnen rechnen?« Rufen Sie allerdings sehr kurz nach dem Versand Ihrer Initiativbewerbung an, sollte Ihre Einstiegsfrage lauten: »Hatten Sie schon Zeit, einen Blick in meine Bewerbungsunterlagen zu werfen?«, bevor Sie auf das weitere Verfahren eingehen.

Wenn Sie zu den Ausnahmefällen gehören, die auf dem Arbeitsmarkt stark gefragt sind, haben Sie die Möglichkeit, den Entscheidungsprozess zu beschleunigen. Gesuchte IT-Spezialisten oder umworbene Führungskräfte können durchaus darauf verweisen, dass ihnen Angebote anderer Unternehmen vorliegen und sie sich in nächster Zeit entscheiden müssen.

Achten Sie bei Ihrer Nachfassaktion darauf, dass Sie freundlich und sachlich bleiben. Halten Sie sich an den für das Bewerbungsverfahren üblichen formellen Sprachduktus. Das Unternehmen ist in der Regel in der stärkeren Position und wird an Ihren kommunikativen Fähigkeiten zweifeln, wenn Sie versuchen, es zu einer Entscheidung zu nötigen.

Achtung, das Bewerbungsverfahren läuft noch!

Die mündliche Zusage, dass man sich für Sie entschieden hat, sollten Sie als Erfolg privat feiern, aber nicht am momentanen Arbeitsplatz herausposaunen. Platzt der Stellenwechsel trotz mündlicher Zusage, kann das für Sie recht unangenehm werden.

Das Ziel des Bewerbungsmarathons haben Sie erst erreicht, wenn der neue Arbeitsvertrag von Ihnen und einem Unternehmensvertreter unterschrieben ist. Bis zu diesem Zeitpunkt sollten Sie sich alle Möglichkeiten offen halten und in Stillschweigen hüllen.

Auf einen Blick

Durch Nachfassaktionen im Gespräch bleiben

Im Blick

- Zeigen Sie auch nach dem Versand Ihrer Bewerbungsunterlagen Initiative. Bringen Sie sich wieder ins Gespräch.
- Den Kontakt zum Unternehmen können Sie etwa eine Woche nach Ihrer schriftlichen Bewerbung auffrischen.

- Vorrangig soll Ihre Nachfassaktion zeigen, dass Sie ernsthaft an dieser neuen Position interessiert sind.
- Inhaltliche Fragen bringen Sie nach dem Abschicken Ihrer Initiativbewerbung nicht mehr weiter. Fragen Sie eher nach dem Fortgang des Auswahlverfahrens.
- Beachten Sie bei Ihrer Nachfassaktion, dass das Bewerbungsverfahren noch läuft. Bleiben Sie freundlich und sachlich.
- Telefonische Stellenzusagen sind ein schöner Erfolg. Ihre Bewerbungsaktivitäten sollten Sie aber erst einstellen, wenn ein neuer Arbeitsvertrag von beiden (!) Seiten unterschrieben worden ist.

II

Aus Fehlern lernen:
das Trainingsprogramm für
Ihren Erfolg

15

Messekontakte: der Turbo für Ihre Initiativbewerbung

Messekontakte sind zur Vorbereitung von Initiativbewerbungen ausgesprochen hilfreich. Ein souveränes Auftreten ist oberstes Gebot, um sich bei Unternehmen als interessanter Bewerber ins Gespräch zu bringen und in Erinnerung bleiben. Wir zeigen Ihnen anhand von zwei Beispielen, was in der Praxis der persönlichen Kontaktanbahnung schief laufen kann und wie es besser geht.

Welchen Nutzen können Sie für Ihre Initiativbewerbung aus Messekontakten ziehen? Wie können Sie die Standbetreuer optimal ansprechen? Welche Fehler sind auf jeden Fall zu vermeiden? Wir haben Ihnen im Kapitel *Networking: die Fühler ausstrecken* erläutert, dass Sie Fachmessen, Karrieremessen oder Branchenmessen sinnvoll in Ihre Bewerbungsstrategie einbinden können. Nun geht es darum, dieses Wissen in die Praxis umzusetzen.

In einem Negativbeispiel werden wir Ihnen zunächst zeigen, wie Bewerber Vertreter der Unternehmensseite gegen sich aufbringen können und es sich so bei einem Stellenwechsel unnötig schwer machen. Das anschließende Positivbeispiel demonstriert Ihnen, wie es besser geht. Sie erfahren, wie Sie Sympathie aufbauen, Interesse für Ihre Qualifikation erwecken und wichtige Informationen für Ihre Bewerbung erhalten können.

So erwecken Sie Interesse und erhalten Informationen

Die misslungene Kontaktaufnahme

Der Bewerber Fritz Bremer hat für sich entschieden, dass für seine weitere Karriereentwicklung ein Stellenwechsel notwendig ist. Seit drei Jahren arbeitet er im Außendienst bei einer Mineralölfirma. Ein Aufstieg bei seinem jetzigen Arbeitgeber ist eher unwahrscheinlich, da die Regionalleiterposten mit langjährigen Mitarbeitern besetzt sind und es nicht absehbar ist, dass einer von ihnen in nächster Zeit gehen wird. Für den Sprung in ein anderes Unternehmen hat Herr Bremer eine Initiativbewerbung verfasst. Diese möchte er nun auf einer Karrieremesse mit Schwerpunktthema Vertrieb zum Einsatz bringen.

Der Drücker

Bewerber: »Tach, wie läuft das Geschäft?«

Standbetreuerin: »Wir sind sehr zufrieden mit dem Zuspruch, den unser Messestand findet.«

Beispiel

Bewerber: »Wirklich? Ich sehe da doch einige Mängel in Ihrer Präsentation. Ich kann hier keinen Eyecatcher für Ihre Angebote entdecken. Und mit dem Werbematerial haben Sie sich ja auch sehr zurückgehalten. Die anderen Aussteller bieten viel wertigere Giveaways.«

Standbetreuerin: »Wissen Sie, wir versuchen Interessenten nicht zu blenden. Bei der Marktposition unseres Unternehmens ist das auch gar nicht notwendig. Wir haben gute Angebote für alle Interessenten. Wofür interessieren Sie sich denn?«

Bewerber: »Ich habe mir gedacht, ich sollte Ihre Vertriebsmannschaft mal ein bisschen unterstützen.«

Negativ-
beispiel

Standbetreuerin: »Kennen Sie unser Unternehmen schon? Ich gebe Ihnen gern einige Prospekte, mit denen Sie sich detailliert über berufliche Einstiegsmöglichkeiten informieren können.«

Bewerber: »Junge Frau, mir machen Sie doch nichts vor. Vertrieb ist Vertrieb, und wie Sie sich hier am Stand präsentieren, wird in Ihrer Firma doch einiges im Argen liegen. Da brauche ich mich nicht weiter zu informieren. Wo kann ich denn meine Bewerbung loswerden?«

Standbetreuerin: »Ihre Art der Kundenansprache ist ja recht erfrischend. Damit feiern Sie also große Erfolge im Vertrieb?«

Bewerber: »Sie haben es erkannt. Geben Sie nun meine Bewerbung an Ihren Chef dort hinten weiter, oder soll ich sie selber zum Entscheidungsträger bringen?«

Standbetreuerin: »Gehen Sie ruhig selber, mein Assistent wird Ihre Bewerbung schon entgegennehmen.«

Bewerber: »Haha, der war gut. Sie haben hier also die Hosen an.«

Standbetreuerin: »So kann man sich täuschen.«

Bewerber: »Nichts für ungut. Ich bin nun mal eine Frohnatur. Schauen Sie sich meine Bewerbung doch einmal an. Ich habe auch eine Visitenkarte beigelegt. Da können Sie sich ja bei Interesse melden.«

Standbetreuerin: »Sicher. Wollen Sie noch einen Kugelschreiber mitnehmen?«

Bewerber: »Ach na ja, aber nur weil Sie es sind. Tschüß.«

Standbetreuerin: »Tschüüühüß.«

Der Versuch des Bewerbers Fritz Bremer, sich als Vertriebsgenie in eigener Sache in Szene zu setzen, ist damit gescheitert. Schon die Voraussetzungen für seinen Auftritt am Messestand sind denkbar schlecht. Bei einer vorab erstellten Bewerbungsmappe musste er zu einer Standardbewerbung greifen, um diese an mehreren Ständen aushändigen zu können. Statt auf Klasse zu setzen, hat sich der Bewerber für Masse entschieden. Eine Auseinandersetzung mit den Wünschen des jeweiligen Unternehmens bleibt bei dieser Herangehensweise auf der Strecke. **Machen Sie es besser!**

Die Mängel in seiner schriftlichen Bewerbung wollte er anscheinend durch seinen persönlichen Auftritt ausgleichen. Der unnötige Druck, dem er sich dadurch aussetzt, lässt ihn im Gespräch leider immer wieder über die Stränge schlagen. Herr Bremer hat die grundsätzliche Funktion von Messegesprächen nicht erkannt. Es geht nicht darum, wahllos standardisierte Bewerbungsmappen zu verteilen. Der Auftritt auf einer Messe dient vorrangig der persönlichen Kontaktanbahnung und dem **Vorrangiges Ziel: Interesse wecken**

Ziel, erstes Interesse am eigenen beruflichen Profil zu erwecken. Erst im zweiten Schritt wird dann mit einer aussagekräftigen Bewerbungsmappe, die passgenau zugeschnitten wurde, gepunktet.

Beim Gesprächseinstieg verwechselt der Bewerber Lockerheit mit Flapsigkeit. Er drängt die Standbetreuerin von Anfang an in die Defensive. Mit seiner Überrumpelungstaktik erzeugt er statt der notwendigen Bereitschaft zum Dialog nur Skepsis. Die Standbetreuerin reagiert auf seine Gesprächseröffnung mit der Floskel »Wir sind sehr zufrieden ...«. Eine gewisse Anfangsnervosität wird Bewerbern durchaus zugestanden. Noch hätte Fritz Bremer die Chance, mit seinem Qualifikationsprofil Interesse zu erzielen. Er entscheidet sich aber anders.

Was sich der Bewerber von seinem verbalen Angriff erhofft, bleibt sein Geheimnis. Wir vermuten, dass er Optimierungsmöglichkeiten für die Unternehmenspräsentation am Stand aufzeigen möchte. Dabei missachtet er jedoch elementar die im zwischenmenschlichen Kontakt geltenden Regeln. Mit einem Angriff lässt sich nur ein Gegenangriff oder der Rückzug in eine Verteidigungsposition provozieren. Ein Informationsaustausch wird so massiv erschwert. Zudem wertet Herr Bremer das Unternehmen durch seine Bemerkungen über das bereitgehaltene Werbematerial ab. Es stellt sich sofort die Frage, warum er sich nicht bei den seiner Meinung nach »besseren« Unternehmen bewirbt.

Dieser negative Gesprächsinput sorgt bei der Standbetreuerin für Verstimmung. Dennoch verhält sie sich professionell und rechtfertigt das Konzept ihres Unternehmens. Auf die Frage nach den für ihn interessanten Angeboten äußert Herr Bremer nur: »Ich sollte ihre Vertriebsmannschaft mal ein bisschen unterstützen.« Wieder ist seiner Äußerung ein unterschwelliger Vorwurf zu entnehmen. Mit maßloser Selbstüberschätzung sieht sich Herr Bremer als ultimative Verkaufskanone, die im Alleingang alle Vertriebsprobleme lösen wird. Er nennt weder seine bisherigen Vertriebserfolge noch die Branchenerfahrung; er geht nicht auf bisherige Aufgaben ein und definiert auch nicht seine Wünsche an eine neue Stelle.

Spätestens zu diesem Zeitpunkt weiß die Standbetreuerin, dass sie es mit einem ungeliebten Massenbewerber zu tun hat, und entschließt sich, ihn mit dem Aushändigen von Infomaterial loszuwerden. Sie hat die Mängel in seiner Bewerbungsstrategie erkannt und teilt ihm zwischen den Zeilen mit: »Informieren Sie sich doch bitte das nächste Mal, bevor Sie sich bei mir vorstellen!« **Eine sorgfältige Vorbereitung bringt Sie weiter**

Zwischen den Zeilen zu lesen, scheint allerdings nicht Herrn Bremers Stärke zu sein. Vielleicht legt er auch nur wenig Wert darauf, gut informiert aufzutreten. Auf jeden Fall wird sein Auftritt zunehmend beleidigender, wodurch die letzten Reste verbliebener Gutmütigkeit bei der Standbetreuerin schwinden. Die völlig unpassende Anrede »junge Frau« koppelt er mit Plattitüden und wirft der Standbetreuerin schließlich vor, dass sie schlechte Arbeit abliefert: »... wie Sie sich hier am Stand präsentieren, wird in Ihrer Firma doch einiges im Argen liegen.«

Trotzdem will er unbedingt seine Bewerbung loswerden. Die Standbetreuerin schaltet auf Ironie. Schließlich besteht keine Gefahr, dass er so etwas überhaupt verstehen könnte. Tatsächlich missversteht Herr Bremer ihre Spitze mit der »erfrischenden Kundenansprache« und fühlt sich geschmeichelt. Endlich hat jemand seine wahren Talente erkannt. Im trügerischen Gefühl der Sicherheit entwischt ihm dann noch seine Ansicht, dass Frauen nichts zu entscheiden haben. Der einzige Mann am Stand wird sogleich zum Chef deklariert. Die Erkenntnis, dass er bereits mit der für seine Bewerbung entscheidenden Person spricht, trifft ihn unvorbereitet. **Treten Sie höflich und entgegenkommend auf**

Mit verlegenem Lachen und einem billigen Gag versucht er die Situation zu retten. Da die Standbetreuerin seine Bewerbung schon für den Papierkorb vorgesehen hat, bleibt sie gelassen. Der Bewerber trifft mit seiner Einschätzung »Sie können sich ja bei Interesse melden« endlich einmal ins Schwarze: Allerdings wird er auf eine Antwort vergeblich warten.

Die richtige Weichenstellung

Der Besuch von Karrieremessen ist durchaus eine gute Möglichkeit, um persönliche Kontakte zu knüpfen, die für anschließende Initiativbewerbungen nützlich sind. Messegespräche mit Unternehmensvertretern sind aber keine Selbstläufer. Standbetreuer beschweren sich immer wieder darüber, dass Messebesucher keine Auskünfte über ihre beruflichen Wünsche geben können, ohne Informationsgehalt kommunizieren und anscheinend keinen Wert darauf legen, sich als interessanten Bewerber mit individuellem Profil darzustellen. Bei diesen unvorbereiteten Bewerbern ist die Bereitschaft der Unternehmensvertreter recht gering, spezielle Informationen weiterzugeben oder Kontaktmöglichkeiten abseits der üblichen Bewerbungswege anzubieten.

Stellen Sie sich als interessanten Bewerber mit individuellem Profil dar

Machen Sie es sich zum Ziel, Sympathie aufzubauen. Haben Sie es geschafft, die Firmenseite positiv für sich einzunehmen, lässt sich ein Gespräch über konkrete Einstiegsmöglichkeiten führen. Tasten Sie sich mit etwas Small Talk an Ihr Anliegen heran. Zeigen Sie, dass Sie wissen, was Sie wollen. Geben Sie den Unternehmensvertretern Hilfestellung bei der Einordnung Ihres Qualifikationsprofils. Erarbeiten Sie sich einen Informationsvorsprung, indem Sie Kontaktpersonen im Unternehmen erfragen. Damit erhöhen Sie die Erfolgsquote Ihrer Initiativbewerbung beträchtlich.

Bauen Sie einen guten Draht zum Unternehmensvertreter auf

Im folgenden Beispiel hat sich der Bewerber Fritz Bremer vor seinem Besuch der Karrieremesse Gedanken über seinen Auftritt gemacht. Er ist sich klar darüber geworden, dass es hauptsächlich darum geht, interessante neue Kontakte zu knüpfen. Auf das Aushändigen von standardisierten Bewerbungsmappen verzichtet er bewusst. Sein Ziel ist es, Informationen zu erfragen, mit denen er anschließend seine Initiativbewerbung passgenau auf sein Wunschunternehmen zuschneiden kann.

Elegant in Szene gesetzt

Bewerber: »Guten Tag, ich hätte gar nicht gedacht, dass ich auf dieser Messe auf so viele interessante Unternehmen stoße. Sind Sie denn auch zufrieden?«

Standbetreuerin: »Ja, wir sind jetzt zum zweiten Mal auf dieser Karrieremesse vertreten. Der Besucherzuspruch ist gegenüber dem letzten Jahr sogar noch gestiegen. Wir werden auch weiterhin die Chance nutzen, unser Unternehmen auf dieser Messe vorzustellen. Was kann ich denn für Sie tun?«

Bewerber: »Ich habe schon einige Informationen über Ihr Unternehmen gesammelt, Frau Steffen (unauffälliger Blick auf das Namensschild!). Besonders die Struktur Ihres Vertriebs interessiert mich. Arbeiten Sie eher mit Vertriebsteams oder mit einzelnen Vertretern, die von einem Regionalleiter koordiniert werden?«

Standbetreuerin: »Oh, Sie haben ja einen ganz spezifischen Informationsbedarf. Ich entnehme Ihren Fragen, dass Sie selbst im Vertrieb tätig sind. Ist das richtig?«

Bewerber: »Ja, Sie haben mich gleich durchschaut. Ich heiße Fritz Bremer und bin seit drei Jahren im Vertrieb tätig. Bei meinem Einstieg hätte ich gar nicht mit der Vielfalt der Aufgaben gerechnet. Ich habe zu einer Zeit angefangen, in der der Vertrieb meiner jetzigen Firma neu strukturiert wurde. Da ergaben sich für mich interessante Möglichkeiten, mich an Projektgruppen zur Effizienzsteigerung zu beteiligen. Die Startphase war schon anstrengend; ein neuer Kundenstamm musste aufgebaut werden, und die notwendigen Abstimmungsprozesse haben viel Zeit in Anspruch genommen. Dennoch, ich hätte mir keinen spannenderen Einstieg wünschen können.«

Standbetreuerin: »Sie möchten auch weiterhin im Vertrieb arbeiten, Herr Bremer?«

Bewerber: »Ja, auf jeden Fall, Frau Steffen. Momentan suche ich so ein bisschen nach einer neuen Herausforderung für mich.«

Positiv-
beispiel

Standbetreuerin: »Gute Vertriebsleute können wir immer gebrauchen. Ich werde Ihnen ein paar Unterlagen zusammenstellen. Ich selbst bin in der Personalentwicklung tätig, spezielle Fragen sollten Sie, glaube ich, einmal mit unserem Außendienstleiter Herrn Erdle besprechen. Der kann Ihnen darauf genauere Antworten geben, als ich es jetzt könnte.«

Bewerber: »Das klingt sehr interessant. Ist Herr Erdle auch hier?«

Standbetreuerin: »Nein, er hat andere Verpflichtungen. Sie sollten es telefonisch versuchen.«

Bewerber: »Das mache ich gern. Ist das aus Ihrer Sicht denn schon ein Schritt auf eine Bewerbung bei Ihnen hin? Ich gestehe Ihnen ganz offen, dass mich Ihr Unternehmen schon einige Zeit interessiert. Es muss ja nicht jetzt sofort sein, aber in der nächsten Zeit könnte ich mir einen Unternehmenswechsel durchaus vorstellen.«

Standbetreuerin: »Sehen Sie, ich habe Ihnen ja schon ganz zu Anfang gesagt, dass sich die Präsentation unseres Unternehmens auf dieser Messe lohnt. Es hat sich doch gerade ein interessanter Kontakt ergeben.«

Bewerber: »Toll, ich freue mich über Ihr Interesse. Wie erreiche ich Sie denn im Unternehmen? Vielleicht brauche ich ja einmal eine Fürsprecherin für meine Bewerbungsaktivitäten.«

Standbetreuerin: »Hier ist meine Karte. Lassen Sie uns gleich das weitere Vorgehen abstecken. Sie nehmen Kontakt zu Herrn Erdle auf. Ich schreibe Ihnen die Durchwahl hinten auf meine Karte. Wenn Sie und Herr Erdle zu der Entscheidung gelangen, dass Sie miteinander auskommen könnten, sollten Sie sich bei mir melden. Dann besprechen wir die weiteren Schritte.«

Bewerber: »Diese Möglichkeit werde ich auf jeden Fall nutzen. Bei dem positiven Eindruck, den Ihr Unternehmen auf mich macht, bin ich mir sicher, dass Sie in nächster Zeit von mir hören werden, Frau Steffen.«

Standbetreuerin: »Ich kann Ihnen natürlich nichts versprechen. Rufen Sie mich aber auf jeden Fall nach dem Gespräch mit Herrn Erdle an meinem Arbeitsplatz an.«

Bewerber: »Damit sich meine Kinder genauso freuen können wie ich, würde ich gerne noch ein paar von den Kugelschreibern und Luftballons mitnehmen.«

Standbetreuerin: »Wie alt sind Ihre Kinder denn?«

Bewerber: »Ich habe eine Tochter, die ist jetzt ein Jahr alt, und mein Sohn ist drei Jahre alt. Die beiden halten mich zu Hause ganz schön auf Trab.«

Standbetreuerin: »Ich guck' mal eben, ob wir nicht noch etwas Besonderes für Ihre Kinder haben. Kugelschreiber und Luftballons können Sie sich natürlich gern mitnehmen, keine falsche Bescheidenheit.«

Bewerber: »Vielen Dank für das Gespräch, Frau Steffen.«

Standbetreuerin: »Wir bleiben in Kontakt, Herr Bremer.«

Fritz Bremer startet diesmal unverfänglich in das Gespräch am Messestand. Er weiß, dass es zuerst darum geht, überhaupt eine Unterhaltung in Gang zu bringen. Um Distanz abzubauen, wählt er einen lockeren und positiven Gesprächseinstieg. Er lobt die Messe im Allgemeinen und macht mit dem Hinweis auf die vielen interessanten Unternehmen deutlich, dass er die Kunst des Small Talk beherrscht. Statt gleich von sich und seinen Wünschen zu sprechen, erkundigt er sich zunächst nach dem Eindruck der Unternehmensvertreterin. Das Gespräch hat so die Chance, sich unbelastet weiterzuentwickeln. **Am Anfang steht Small Talk**

Die Standbetreuerin nimmt den zugespielten Ball auf, indem auch sie die positiven Aspekte der Messe betont. Dass sie lockerer ist als im Negativbeispiel, zeigt ihre ausführliche Antwort auf die an sie gestellte Frage. Sie verhält sich neutral, aber aufgeschlossen, und erkundigt sich bei dem Bewerber nach seinen Wünschen. Der Einstieg in das eigentliche Informationsgespräch ist damit vollzogen.

Den sympathischen Eindruck, den Herr Bremer bis jetzt vermittelt hat, baut er nun weiter aus. Er stellt sich als informierter Interessent dar und redet die Standbetreuerin mit ihrem Namen an. Diesen hat er mit einem kurzen Blick auf das Namensschild am Jackett eruiert und setzt ihn ein, um Verbindlichkeit herzustellen. Die persönliche Anrede ist ein wirkungsvolles Mittel gegen Anonymität. Bewerbern aus den Bereichen Vertrieb, Marketing und Public Relations sollte diese Vorge- **Die persönliche Ansprache bringt Pluspunkte** hensweise vertraut sein. Herr Bremer besteht diesen Test in Sachen Kommunikationsstärke mit Bravour.

Um zu signalisieren, dass er kein auf Messen unbeliebter Broschürensammler oder Kugelschreiberjäger ist, stellt Herr Bremer gleich zu Anfang eine gezielte Frage, die eine gewisse Relevanz für seinen eigenen Arbeitsbereich hat. Die Standbetreuerin bekommt damit eine erste Vorstellung von seinen beruflichen Aufgaben. Sie reagiert sofort und entnimmt dieser Frage die darin enthaltene Message. Weil Frau Steffen von sich aus sein Qualifikationsprofil anspricht, kann Herr Bremer schon jetzt wichtige Angaben zu seinen momentanen Tätigkeiten liefern.

Fragen dokumentieren Interesse

Die Chance, sich als interessante Vertriebspersönlichkeit darzustellen, lässt sich Herr Bremer natürlich nicht entgehen. Damit sein Profil präsent bleibt, nennt er seinen Namen und liefert eine prägnante Kurzbeschreibung seiner bisherigen beruflichen Erfahrungen. Er achtet auf den Einsatz richtiger Schlüsselbegriffe wie: »Vertrieb ... neu strukturiert«, »an Projektgruppen beteiligt«, »Effizienzsteigerung im Vertrieb« und »Kundenstamm aufgebaut«. Diese Begriffe bleiben bei Frau Steffen hängen. Durch die engagierte Schilderung seiner Tätigkeiten erreicht Herr Bremer, dass die Standbetreuerin keine Zweifel an seinem Spaß an der Vertriebsarbeit aufkommen lässt. Sie erkundigt sich, ob er weiterhin in diesem Bereich arbeiten möchte. Als eher rhetorische Frage ermöglicht sie es dem Bewerber damit, zu seinen weiteren Karrierewünschen Stellung zu nehmen.

Die richtigen Schlüsselbegriffe belegen Kompetenz

Das Interesse der Standbetreuerin an seiner Person ist Herrn Bremer nicht entgangen. Nun kann er seine Bewerbungsabsichten offen artikulieren. Schließlich geht es nicht mehr um irgendeine Tätigkeit, sondern ganz gezielt um seine persönliche Entwicklung. Um zu verdeutlichen, dass er am momentanen Arbeitsplatz nicht unter Druck steht, formuliert Herr Bremer seine Wechselabsichten vorsichtig und stellt die neue Herausforderung als Antrieb für eine Veränderung dar.

Das Gespräch ist jetzt in einer Phase, wo die Beteiligten ungezwungener miteinander umgehen können. Nachdem Herr Bremer seine Bewerbungsabsichten ausgesprochen hat, weist die Standbetreuerin auf eine eventuelle Einstiegsmöglichkeit in ihr Unternehmen hin. Besonders interessant wird es für Herrn Bremer dadurch, dass Frau Steffen den Außendienstleiter ins Gespräch bringt. Der souveräne Auftritt des Bewerbers zahlt sich jetzt aus. Die Standbetreuerin ist bereit, ihm abseits der üblichen Bewerbungswege eine besondere Chance zu geben. Im Gespräch mit dem Leiter der Fachabteilung, Herrn Erdle, kann Herr Bremer über für ihn geeignete Positionen sprechen. Eine Bewerbung an die Personalabteilung lässt sich dann mit diesen Vorgaben treffsicher formulieren. Die Voraussetzung ist natürlich, dass Herr Bremer sein Telefonat mit dem Außendienstleiter genauso souverän führt wie sein momentanes Kontaktgespräch am Messestand.

Der souveräne Auftritt zahlt sich aus

Herr Bremer verlässt sich aber nicht nur auf den Kontakt zu Herrn Erdle. Er nutzt das gute Verhältnis, um auch die Standbetreuerin in seine Bewerbungsaktivitäten einzubeziehen. Ein weiteres Mal betont er sein Interesse an dem von Frau Steffen präsentierten Unternehmen und bittet um ihre Kontaktdaten. Die wichtigen Punkte sind geklärt, das Gespräch könnte nun auslaufen. Um der Standbetreuerin auf jeden Fall im Gedächtnis zu bleiben und die gegenseitige Sympathie weiter zu verstärken, bringt Herr Bremer jedoch noch Persönliches ins Gespräch. Mit der Bitte um Kugelschreiber und Luftballons für seine Kinder kehrt er zum Small Talk zurück. Auch diesmal lässt es sich die Standbetreuerin nicht nehmen, ihm etwas Besonderes anzubieten. Beim Abschied bedankt sich Herr Bremer noch einmal bei Frau Steffen. Diese bekräftigt daraufhin ihr Interesse an ihm als außergewöhnlichem Bewerber.

Betonen Sie Ihr Interesse an dem Unternehmen

Messekontakte:
der Turbo für Ihre Initiativbewerbung

- Schränken Sie Kontaktgespräche nicht durch ein flapsiges Auftreten oder eine kumpelhafte Ansprache ein.
- Setzen Sie sich nicht unter zu hohen Erwartungsdruck, sonst bringen Sie unter Umständen Aggressionen in das Gespräch.
- Mit Vorwürfen und Angriffen werden Sie neue Gesprächspartner nicht für sich einnehmen können.
- Wählen Sie einen lockeren Einstieg in das Kontaktgespräch; betreiben Sie zuerst einmal Small Talk.
- Finden Sie Hinweise auf den Namen Ihres Gesprächspartners (Namensschild). Nehmen Sie der Situation die Anonymität.
- Ist das Gespräch in Gang, können Sie Ihr berufliches Profil ins Spiel bringen.
- Erkundigen Sie sich nach Möglichkeiten, abseits der üblichen Bewerbungswege mit dem Unternehmen in Kontakt zu kommen.
- Beenden Sie das Gespräch aktiv. Sorgen Sie für die Möglichkeit, Ihren Gesprächspartner auch zukünftig kontaktieren zu können (Visitenkarte, Broschüre, Kontaktdaten notieren).

16

Der Startschuss: Gehen Sie mit dem Telefon in Führung

Auf das Telefon sollten Sie zur Vorbereitung Ihrer Initiativbewerbung nicht verzichten. Setzen Sie sich von anonymen Massenbewerbern ab: Greifen Sie zum Telefon, um sich als interessanter Bewerber ins Gespräch zu bringen. Erarbeiten Sie sich einen guten Start, erfragen Sie Informationen und integrieren Sie sie in Ihre Initiativbewerbung.

Das Telefon ist gut geeignet, um schnell Informationen zwischen Personalverantwortlichem und Bewerber auszutauschen. Im persönlichen Dialog lassen sich Informationen erfragen, die eine passgenaue Aufbereitung der Initiativbewerbung erst möglich machen. Im Kapitel *Mit dem Telefon auf die Überholspur* haben Sie erfahren, welche Rahmenbedingungen Sie vor einem Telefongespräch schaffen sollten, welche Gesprächsziele Sie definieren können und wie Sie einen geeigneten Gesprächspartner herausfinden können.

Nun geht es zur Praxis des Telefonierens. Wir haben für Sie ein ungünstig verlaufendes Telefongespräch mitgeschnitten. Eine Bewerberin macht in diesem Telefonat den Fehler, gesichtslos und ohne Profil aufzutreten. Im Positivbeispiel schafft es die Bewerberin, Interesse für ihr Qualifikationsprofil zu wecken und für ihre Initiativbewerbung verwertbare Informationen zu erfragen.

Die Kunst des Telefonierens

Vergebliche Bemühungen

Britta Berger ist als Junior Consultant in der IT-Beratung tätig. Sie möchte ihren beruflichen Aufstieg vorantreiben und Projektmanagerin im Business Support werden. Eine Liste mit Unternehmen, die entsprechende Beschäftigungsmöglichkeiten anbieten, hat sie bereits recherchiert. Jetzt möchte sie sich mit einem Telefonat erkundigen, ob diese Unternehmen überhaupt Einstellungen in ihrem Bereich vornehmen. Sie hat sich in der Telefonzentrale der European Industries AG zur Personalabteilung durchstellen lassen.

Ein Zeitdieb wird erwischt

Beispiel

Personalverantwortlicher: »Personalabteilung der European Industries AG, mein Name ist Gerd Breitkreuz. Was kann ich für Sie tun?«

Bewerberin: »Guten Tag, mein Name ist Britta Berger. Ich möchte mich beruflich verändern.«

Personalverantwortlicher: »Wie kann ich Ihnen da weiterhelfen, Frau Berger?«

Bewerberin: »Ich würd' mich gern bei Ihnen bewerben.«

Personalverantwortlicher: »Tun Sie das ruhig. Wir sind immer interessiert an guten Bewerberinnen und Bewerbern.«

Bewerberin: »Ja, aber ich wollte mich initiativ bewerben, daher weiß ich gar nicht, was gefordert ist.«

Personalverantwortlicher: »Als was möchten Sie denn bei uns tätig werden?«

Bewerberin: »Am liebsten als Projektmanagerin. Zurzeit arbeite ich in einer Unternehmensberatung. Die möchte ich aber gern verlassen.«

Personalverantwortlicher: »Aus welchen Gründen denn?«

Negativ-beispiel

Bewerberin: »Nicht dass Sie jetzt denken, es gäbe irgendwelche Probleme. Ich bin eigentlich ganz zufrieden. Aber ich möchte nicht mein Leben lang als Beraterin in einem kleinen Team verbringen.«

Personalverantwortlicher: »Wieso nicht? Das ist doch sicherlich eine interessante Aufgabe, oder nicht?«

Bewerberin: »Na ja schon, aber die Unternehmensberatung ist ziemlich klein und ich würde gern die Aufstiegsmöglichkeiten in einem großen Unternehmen nutzen.«

Personalverantwortlicher: »Was haben Sie den bisher gemacht?«

Bewerberin: »Wie schon gesagt, ich habe als Beraterin in einem kleinen Team gearbeitet. Hauptsächlich habe ich untersucht, was man bei Firmen so verbessern kann. Bin ich damit für Sie interessant?«

Personalverantwortlicher: »Das kann ich Ihnen im Moment nicht sagen. Schicken Sie doch einfach eine Bewerbung.«

Bewerberin: »Können Sie mir wirklich nicht sagen, ob sich das überhaupt für mich lohnt?«

Personalverantwortlicher: »Sie haben natürlich Recht, bei einer Bewerbung fallen auch Kosten an. Überlegen Sie sich doch in Ruhe einmal, ob sich die Sache für Sie lohnt.«

Bewerberin: »Jetzt bin ich aber ein bisschen verunsichert.«

Personalverantwortlicher: »Oh, ich höre gerade, dass ein anderes Gespräch eingeht. Wir haben ja auch schon alles besprochen. Auf Wiederhören, Frau ... äh.«

Bewerberin: »Auf Wiederhören, trotzdem danke.«

Beim telefonischen Gesprächseinstieg liefert Frau Berger keine Informationen. Der Personalverantwortliche wird im Unklaren darüber gelassen, mit wem er es eigentlich zu tun hat. Nur aus dem Wunsch nach einer beruflichen Veränderung kann er indirekt schließen, dass es sich bei Frau Berger nicht um eine Auszubildende oder eine Berufseinsteigerin handelt. Dennoch bleibt der Personalverantwortliche freundlich und erkundigt sich nach ihren Interessen. **Liefern Sie alle wichtigen Informationen**

Auch diese zweite Chance lässt sich Frau Berger entgehen. Sie reagiert mit der Nullaussage, dass sie sich gern bewerben würde. Informationen zu ihrem beruflichen Hintergrund liefert sie ebenso wenig wie Aussagen zu ihrer Wunschposition. Dem Personalverantwortlichen bleibt daraufhin gar nichts anderes übrig, als ihr die Empfehlung zu geben, sich doch zu bewerben, wenn sie sich bewerben möchte.

Noch einmal eröffnet er ihr die Möglichkeit, Interesse für das eigene Profil zu erwecken, indem er herausstellt, dass das Unternehmen immer an guten Bewerberinnen und Bewerbern interessiert ist. Statt nun endlich Informationen über sich zu geben, macht Frau Berger den Fehler, sich als uninformierte Massenbewerberin zu outen. Sie erweckt den Eindruck, dass es ihr einziges Ziel ist, zu irgendeinem anderen Unternehmen zu wechseln. Bei ihrer Antwort auf die konkrete Frage nach ihrem Tätigkeitswunsch bestätigt sie diese Einschätzung ausdrücklich, indem sie bekennt, dass sie die Unternehmensberatung, in der sie zurzeit arbeitet, gern verlassen möchte.

Ob Frau Berger mit ihren Qualifikationen für das Unternehmen interessant sein könnte, kann der Personalverantwortliche **Äußern Sie** anhand ihrer Aussagen nicht einschätzen. Die Frage nach ih- **Ihre Wünsche** rem Arbeitswunsch beantwortet sie mit einer bloßen Berufsbe- **konkret** zeichnung, ohne irgendwelche Bezüge zwischen der angestrebten Tätigkeit und ihrer momentanen Arbeit herzustellen. Der Personalverantwortliche nutzt die einzige Information, die sie geliefert hat, für seine nächste Frage, warum sie ihren Arbeitgeber verlassen möchte. Bei seinem Nachhaken, wo denn die Gründe dafür liegen, fühlt sich Frau Berger ertappt. Sie ist in die Defensive geraten und muss sich nun verteidigen.

Hätte sie von sich aus eine aktive Informationspolitik betrieben, wäre ihr die nun folgende Auseinandersetzung mit dem Personalverantwortlichen erspart geblieben. Wieder reagiert **Wählen Sie** Frau Berger falsch. Mit einer Nicht-Formulierung erreicht sie **Ihre Worte** genau das Gegenteil der von ihr beabsichtigten Wirkung. Die **mit Bedacht** Aussage »Nicht, dass Sie jetzt denken, es gäbe irgendwelche Probleme« zwingt den Personalverantwortlichen geradezu, sich diesen Satz ohne Verneinung vorzustellen. Der nachgeschobene Satz »Ich bin eigentlich ganz zufrieden« erhärtet die Vermutung, dass es mehr Probleme am Arbeitsplatz gibt, als sie zugeben will.

Der Personalverantwortliche ist inzwischen zu der Meinung gekommen, dass er es am Telefon mit einer ungeeigneten Bewerberin zu tun hat. Als Konsequenz beschränkt er sich darauf, sie abzublocken und unterschwellig dazu aufzufordern, doch zu bleiben, wo sie ist. Erst daraufhin liefert Frau Berger einen, wenn auch minimalen, Informationsinput. Sie erwähnt, dass sie gern die Aufstiegsmöglichkeiten in einem großen Unternehmen nutzen würde. Mit der Frage »Was haben Sie denn bisher gemacht?« lässt der Personalverantwortliche sich erneut auf sie ein. Frau Berger wiederholt die viel zu oberflächliche Beschreibung ihrer momentanen Tätigkeit. Die angehängte Frage »Bin ich damit für Sie interessant?« provoziert beim Personalverantwortlichen Ironie. Seine Aussage »Schicken Sie doch einfach eine Bewerbung« setzt er innerlich bestimmt mit den Worten »oder lassen Sie es am besten bleiben« fort. Frau Berger sieht sich in der Sackgasse und verlegt sich am Ende des Gespräches auf flehentliche Hilferufe. Damit verspielt sie sich auch noch die letzte Sympathie des Personalverantwortlichen, der ihr nun zwischen den Zeilen rät, auf eine Bewerbung zu verzichten, und sie abwimmelt.

Liefern Sie aussagekräftige Informationen

Ein Fundament für die Initiativbewerbung

Wie Sie gesehen haben, bringt Sie ein unvorbereiteter Telefonanruf nicht weiter. Verspielen Sie nicht Ihre Chancen. Bei einer Initiativbewerbung ist ein Telefonanruf eigentlich unabdingbar. Nur wenn Sie vorher Kontakt zum Unternehmen aufnehmen und einen konkreten Ansprechpartner für Ihre Bewerbung herausfinden, können Sie damit rechnen, dass Sie wohlwollend geprüft wird.

Finden Sie einen konkreten Ansprechpartner

Selbst wenn Sie bereits Kontaktpersonen in Ihrem Wunschunternehmen kennen, die Sie beispielsweise auf Messen oder Weiterbildungsveranstaltungen getroffen haben, sollten Sie sich vor dem Abschicken Ihrer Bewerbungsunterlagen unbedingt noch einmal per Telefon in Erinnerung rufen. Personen, die Sie im Rahmen Ihres Networkings kennen gelernt haben, ist Ihr beruflicher Hintergrund meistens nur noch vage präsent. Durch Ihre telefonische Initiative werden Sie sicherlich mit Informationen über freie Stellen und die Anforderungen des Unternehmens belohnt werden.

Frau Berger hat sich diesmal auf das Telefongespräch vorbereitet. Sie weiß jetzt, dass sie die richtigen Impulse setzen muss, um an verwertbare Informationen heranzukommen und erste Sympathie zu wecken. Daher hat sie einen Gesprächsaufhänger vorbereitet, mit dem sie ihren Berufswunsch begründen kann. Dank dieser Vorbereitung nimmt das Gespräch den gewünschten Verlauf.

Eine einnehmende Bewerberin

Personalverantwortlicher: »Personalabteilung der European Industries AG, mein Name ist Gerd Breitkreuz. Was kann ich für Sie tun?«

Bewerberin: »Guten Tag, Herr Breitkreuz, mein Name ist Britta Berger. Ich arbeite als Consultant im IT-Bereich und interessiere mich für einen Einstieg in Ihr Unternehmen.«

Personalverantwortlicher: »Welche beruflichen Vorstellungen haben Sie denn?«

Bewerberin: »Ich würde gern als Projektmanagerin im Business Support arbeiten. Momentan arbeite ich bei einem Consulting Unternehmen und habe SAP-Einführungen betreut. Dabei habe ich eng mit den Abteilungsleitern der betreffenden Unternehmen zusammengearbeitet und die Projektkalkulation übernommen. Aufgrund meiner Erfahrungen möchte ich nun in den internen IT-Support eines Unternehmens wechseln.«

Positiv-
beispiel

Personalverantwortlicher: »Warum wollen Sie nicht länger als Consultant tätig sein?«

Bewerberin: »Ich möchte auch weiterhin als Consultant arbeiten. Da mir die kontinuierliche Zusammenarbeit mit Fachabteilungen sehr am Herzen liegt und ich die Notwendigkeit der ständigen Optimierung sehe, würde ich gern im Business Support eines Unternehmens Aufgaben im IT-Consulting wahrnehmen.«

Personalverantwortlicher: »Was ich bis jetzt gehört habe, klingt sehr interessant. Sie sollten sich auf jeden Fall bei uns bewerben.«

Bewerberin: »Das mache ich gern, Herr Breitkreuz. Wie wichtig sind Ihnen die Programmierkenntnisse bei Projektleitern im IT-Bereich?«

Personalverantwortlicher: »Sie sollten sich schon auskennen. Allerdings würde es mir weniger um die eigentliche Programmierung gehen, sondern mehr um die Beurteilung von Tools und Applikationen. Wie anwenderfreundlich sind sie und was ist technisch machbar?«

Bewerberin: »Mit diesen Fragen setze ich mich auch momentan schon intensiv auseinander. Gibt es etwas, dass ich in meiner Bewerbung unbedingt herausstreichen sollte?«

Personalverantwortlicher: »Nennen Sie ganz konkret die Tätigkeiten, die Sie momentan wahrnehmen. Neben der Betreuung von Fachabteilungen sollten Sie auch Ihre Kenntnisse in der Kostenkalkulation erwähnen.«

Bewerberin: »Vielen Dank für die Informationen, Herr Breitkreuz. Soll ich Ihnen eine vollständige Bewerbung schicken, oder möchten Sie zuerst eine Kurzbewerbung erhalten? Vielleicht über das Internet?«

Personalverantwortlicher: »Schicken Sie ruhig vollständige Bewerbungsunterlagen, Frau Berger, und versenden Sie sie per Post.«

Bewerberin: »Das mache ich gern. Darf ich meine Bewerbung direkt an Sie schicken?«

Personalverantwortlicher: »Machen Sie das. Senden Sie Ihre Bewerbung an Gerd Breitkreuz in der Personalabteilung der European Industries AG.«

Bewerberin: »Vielen Dank für die Zeit, die Sie sich für mich genommen haben, Herr Breitkreuz. Die Bewerbung ist in den nächsten Tagen bei Ihnen. Schreiben Sie Ihren Nachnamen mit »tz« oder so wie man es spricht?«

Personalverantwortlicher: »So wie ›breites Kreuz‹ und bei meinem Vornamen genügt ein einfaches ›d‹.«

Bewerberin: »Okay. Auf Wiederhören, Herr Breitkreuz.«

Personalverantwortlicher: »Auf Wiederhören, Frau Berger.«

In diesem Positivbeispiel gibt Frau Berger nach der Begrüßung gleich Informationen zur Einordnung ihrer Qualifikationen bekannt. Sie stellt die beiden Schlüsselbegriffe »Consultant« und »IT-Bereich« in den Raum, um Interesse zu wecken. Der Personalverantwortliche reagiert mit der Frage nach den beruf- **Schlüssel-begriffe wecken Interesse** lichen Vorstellungen. Als Bewerberin, die weiß, was sie will, kann Frau Berger ihm diese Frage beantworten. Anschließend beschreibt sie die Tätigkeiten, die sie bei ihrem jetzigen Arbeitgeber ausübt. Sie achtet dabei darauf, Bezüge zwischen ihren momentanen Aufgaben und der von ihr angestrebten Stelle herauszustellen.

Argumentieren Sie ergebnisorientiert Die informative Art der Gesprächsführung von Frau Berger lässt den Personalverantwortlichen ebenso konzentriert vorgehen. Natürlich erspart er Frau Berger auch in diesem Beispiel nicht die Frage, warum sie denn ihre jetzige Stelle aufgeben möchte. Daraufhin macht Frau Berger die von ihr beabsichtigte Kontinuität in ihrer Entwicklung deutlich. Sie betont, dass sie ihre bisherigen Aufgaben weiterführen möchte, stellt aber gleichzeitig heraus, dass sie sich eine Ausweitung ihrer Verantwortungsbereiche wünscht. Damit argumentiert sie nicht problemorientiert, sondern ergebnisorientiert. Ihr Blick ist nach vorn gerichtet.

Stellen Sie gezielte Fragen Der konstruktive Informationsinput von Frau Berger und die plausible Begründung ihres Wechselwunsches überzeugt den Personalverantwortlichen. Er fordert Frau Berger zu einer Bewerbung auf und äußert, dass er das Profil, so wie es bisher vermittelt wurde, sehr interessant findet. Frau Berger hat jetzt bereits einen Fuß in der Tür. Sie weiß, dass ihr Gesprächspartner ihren Wunsch nach dem Wechsel in ein anderes Unternehmen akzeptiert, und kann nun gezielte Fragen stellen.

Mit der Frage nach der Bedeutung von Programmierkenntnissen überprüft Frau Berger, ob sie und der Personalverantwortliche die gleichen Ansichten bezüglich geeigneter Beschäftigungsmöglichkeiten haben. Schließlich beabsichtigt sie, in das Projektmanagement zu wechseln. Eine Tätigkeit als Programmiererin liegt nicht in ihrem Interesse. Die Antwort des Personalverantwortlichen verdeutlicht, dass er das Profil von Frau Berger ähnlich sieht. Er beschränkt die geforderten Programmierkenntnisse auf die Fähigkeit zur Einschätzung der Anwenderfreundlichkeit und technischen Machbarkeit.

Um das gute Bild, das der Personalverantwortliche von ihr gewonnen hat, noch zu verstärken, weist Frau Berger darauf hin, dass sie sich auch jetzt schon mit der Beurteilung von Tool- und Applikationsprogrammierungen beschäftigt. Auf der Grundlage der gewonnenen Akzeptanz kann sich Frau Berger jetzt direkt nach Tipps für die Bewerbung erkundigen. Der Personalverantwortliche gibt ihr konkrete Empfehlungen.

Immer wieder setzt Frau Berger gezielt den Namen des Personalverantwortlichen ein, um den persönlichen Draht nicht abreißen zu lassen. So auch bei der Frage nach der erwünschten Bewerbungsform. Der Personalverantwortliche Herr Breitkreuz empfiehlt ihr eine vollständige Bewerbung per Post. Da er sehr zufrieden mit dem ersten Profilabgleich ist, will er Frau Berger durch eine intensive Prüfung ihrer vollständigen Bewerbungsmappe genauer kennen lernen.

Sprechen Sie Ihren Gesprächspartner persönlich an

Auch die letzte Hürde im Telefongespräch meistert Frau Berger souverän. Sie stellt sicher, dass sie den Personalverantwortlichen direkt anschreiben kann und dass sie seinen Namen richtig schreibt. Die Antwort des Personalverantwortlichen auf die Frage nach der Schreibweise seines Namens macht deutlich, dass Frau Berger seine Sympathie bereits erobert hat: Herr Breitkreuz fängt an, mit Frau Berger zu scherzen.

Für ihre Initiativbewerbung hat sich Frau Berger mit dem Anruf viele Vorteile erarbeitet. Sie hat nun einen konkreten Ansprechpartner in der Personalabteilung ihres Wunschunternehmens, mit dem sie auch nach dem Abschicken ihrer Bewerbungsunterlagen wieder in Kontakt treten kann. Die erfragten Zusatzinformationen erlauben es ihr, die Initiativbewerbung passgenau auszuformulieren. Der Personalverantwortliche hat bereits erstes Interesse an ihrem Qualifikationsprofil gezeigt. Auch bei der Frage der Bewerbungsform hat sie von vornherein Fehler vermieden.

Zusatzinformationen verhelfen zu einer passgenauen Bewerbung

Die mit einem Telefongespräch verbundenen Chancen hat Frau Berger optimal genutzt; sie ist in ihrer Initiativbewerbung einen entscheidenden Schritt weitergekommen.

Der Startschuss:
Gehen Sie mit dem Telefon in Führung

Im Blick

- Die Einstellung »Ich rufe einfach mal bei einem Unternehmen an« bringt Sie nicht weiter.
- Initiativbewerber, die mit ihrem Anruf keine Informationsarbeit betreiben, werden von Personalverantwortlichen schnell als Zeitdiebe empfunden.
- Stellen Sie Ihr berufliches Profil beim Anruf nicht in den Vordergrund, wird an Ihren Fähigkeiten gezweifelt. Personalverantwortliche vermuten dann schnell, dass Sie die Stelle wechseln müssen.
- Ein Telefonanruf dient nicht der Berufsberatung. Initiativbewerber müssen von sich aus vermitteln können, welche Wunschposition sie anstreben.
- Bauen Sie einen persönlichen Draht auf. Merken Sie sich den Namen des Personalverantwortlichen, und setzen Sie ihn immer wieder im Gespräch ein.
- Überlegen Sie sich einen Gesprächsaufhänger, der Auszüge aus Ihrem Qualifikationsprofil enthält.
- Streichen Sie im Gespräch Überschneidungen Ihrer momentanen Tätigkeiten mit der von Ihnen angestrebten Wunschposition heraus.
- Merken Sie im Telefongespräch, dass Sie Interesse für Ihr Profil erweckt haben, sollten Sie gezielt Fragen zu den Anforderungen der neuen Stelle und zum Bewerbungsverfahren stellen.

17

Initiativanschreiben: Selbstmarketing in Schriftform

Das Initiativanschreiben ist das zentrale Überzeugungsinstrument in Ihrer Bewerbungsmappe. Sie müssen ein Gutachten Ihrer eigenen Qualifikationen liefern. Überzeugt Ihr Anschreiben nicht, verliert Ihre gesamte Mappe an Wert. Zwei misslungene Initiativanschreiben machen Sie mit den gängigen Formulierungsfehlern von Bewerbern vertraut. Wie Sie Personalverantwortliche für sich einnehmen können, erfahren Sie in zwei gelungenen Initiativanschreiben.

Den meisten Initiativbewerbern ist die Funktion des Anschreibens als erste Arbeitsprobe nicht richtig bewusst. Nach stundenlangem Gegrübel werden schließlich irgendwelche inhaltsleeren Initiativanschreiben versand. Personalverantwortliche werden Sie damit jedoch nicht beeindrucken können. Durch die Art und Weise, wie Sie sich selbst im Anschreiben darstellen, werden Personalverantwortliche Rückschlüsse auf Ihre Arbeitsweise ziehen. Wenn Sie schon in eigener Sache nicht in der Lage sind, relevante von irrelevanten Informationen zu unterscheiden, langatmig oder zu knapp formulieren und Allgemeinplätze verwenden, wird man Ihnen auch nicht zutrauen, Arbeitsergebnisse auf den Punkt zu bringen. **Trennen Sie wichtige von unwichtigen Informationen**

Sie haben im Kapitel *Initiativanschreiben: mit Profil zum Erfolg* bereits erfahren, dass die Anforderungen an den Informationsgehalt Ihres Anschreibens bei Initiativbewerbungen eher noch höher sind als bei normalen Bewerbungen. Erstellen Sie ein Profil, das Personalverantwortliche dazu veranlasst, im Unternehmen auf die Suche nach Einsatzmöglichkeiten für Sie zu gehen.

Setzen Sie sich von anderen Bewerbern ab In den beiden Negativbeispielen, die wir Ihnen nun vorstellen, sehen Sie typische Fehler, die von Bewerbern bei der Ausarbeitung von Initiativanschreiben gemacht werden. Personalverantwortliche haben täglich damit zu tun. Ersparen Sie Ihnen diese zermürbende Lektüre, indem Sie es besser machen. Unsere Positivbeispiele zeigen Ihnen, wie das geht.

Zahnlose Papiertiger

Helga Seidler arbeitet momentan als Ingenieurin in der Forschung und Entwicklung. Sie möchte Verantwortung für eine eigene Produktreihe übernehmen und den Sprung zur Produktmanagerin schaffen. Ihre Initiativbewerbung bei der E-Components GmbH nimmt Frau Seidler auf die leichte Schulter. Sie ist der Meinung, dass ihre Bewerbung eigentlich ein Selbstläufer sein müsste. Daher hat sie sich keine besondere Mühe mit ihrem Anschreiben gegeben.

Helga Seidler, Kreuzweg 112, 77887 Stuttgart

Firma E-Components
Personalabteilung
Industriepark 6
77717 Böblingen

Negativ-anschreiben 1 Stuttgart, 04.04.2002

Initiativbewerbung

Sehr geehrte Damen und Herren,

ich bin auf der Suche nach einer interessanten Position. Als Entwicklungsingenieurin bin ich qualifiziert für Tätigkeiten in der technischen Produktentwicklung. Mein Wunsch ist daher eine Arbeit als Produktmanagerin. Meine vielfältigen beruflichen Erfahrungen werden sicherlich ein Gewinn für Ihr Unternehmen sein. Mit Einsatzfreude, Engagement und großer Motivation habe ich schon viel erreicht.

Auch bei meinen Hobbys bin ich besonders engagiert. Gerade neulich ist mir mit der Frauenhandballmannschaft des TuS Niederhofen der Aufstieg in die Regionalliga gelungen. Sie sehen, dass ich keine Einzelkämpferin bin und Teamfähigkeit besitze. Probleme am Arbeitsplatz sind nicht der Grund für meinen Wunsch nach einem Arbeitgeberwechsel. Ich bewerbe mich, weil mein Vorgesetzter mir gesagt hat, dass ich in meinem Unternehmen wohl niemals Produktmanagerin werden kann.

Ihrer baldigen Antwort sehe ich hoffnungsvoll entgegen.

MfG

Seidler

Frau Seidler hat mit Ihrem Initiativanschreiben die Bewerbung tatsächlich zum Selbstläufer gemacht, allerdings in Richtung Papierkorb. Ihr Anschreiben beginnt mit einem Kardinalfehler, der Personalverantwortliche augenblicklich skeptisch werden lässt. Die Fehler in der Unternehmensanschrift »Firma E-Components, Personalabteilung« lassen vermuten, dass die Bewerberin sich in keinster Weise mit dem von ihr angeschrie- **Prüfen Sie die Unternehmensanschrift sorgfältig** benen Unternehmen auseinander gesetzt hat. Wäre die Bewerbung vorbereitet worden, hätte Frau Seidler gewusst, dass das Unternehmen »E-Components GmbH« heißt und Bewerber im »Bereich Personal« gesichtet werden.

Belegen Sie die Ernsthaftigkeit Ihrer Bewerbung durch gute Vorarbeit

Da Frau Seidler auf die Angabe einer Telefonnummer verzichtet, scheint sie sich ihrer kommunikativen Fähigkeiten nicht besonders sicher zu sein. Ein Manko, dass einer Tätigkeit als Produktmanagerin sicherlich im Weg steht. Schon zu diesem Zeitpunkt der Prüfung werden Personalverantwortliche wissen, dass sie nicht besonders viel von der Initiativbewerbung erwarten können. Dieser Eindruck wird dadurch bestärkt, dass Frau Seidler nicht vorab mit dem Unternehmen in Kontakt getreten ist. Ein Bezug auf persönliche Gespräche oder vorbereitende Telefonate fehlt.

Den Einstieg in den Text des Anschreibens gestaltet Frau Seidler mit Nullaussagen. Die Darstellung des eigenen Profils wird vernachlässigt. Es taucht nur ihre momentane Berufsbezeichnung auf. Als Qualifikation für eine Arbeit als Produktmanagerin gibt Frau Seidler nicht näher genannte Tätigkeiten in der technischen Produktentwicklung an. Damit zeigt sie sich schlecht informiert, da der technische Bereich nur einen Ausschnitt aus dem Verantwortungsbereich einer Produktmanagerin darstellt.

Belegen Sie Stärken und Fähigkeiten

Sowohl die fachlichen Stärken als auch die persönlichen Fähigkeiten werden floskelhaft abgehandelt. Konkret wird es nur bei der Darstellung des Hobbys. Frau Seidler versucht in ihrer Initiativbewerbung als Produktmanagerin, mit ihren Fähigkeiten als Handballerin zu überzeugen. Mit diesem berufsfernen Beispiel zeigt sie eher analytische Mängel als die gewünschte soziale Kompetenz. Am Ende ihres Initiativanschreibens stößt sie den Leser mit einer Nicht-Formulierung darauf, dass sie Probleme am Arbeitsplatz haben könnte und dies ihr wahrer Bewerbungsgrund ist. Im nächsten Satz bestätigt sie dies, indem sie angibt, dass sie in ihrem Unternehmen niemals Produktmanagerin werden könnte. Aus der Formulierung, die sie verwendet, ist herauszulesen, dass ihr Vorgesetzter sie für unfähig hält.

Das Anschreiben endet mit einem flehentlichen Appell und macht die Hilflosigkeit der Bewerberin noch einmal deutlich. Die Abkürzung »MfG« und der Verzicht auf eine Unterschrift mit Vor- und Zunamen zeigen ihre Überforderung bei geschäftlichen Kontakten. Ihr ist nicht einmal die übliche Schlussformel von Geschäftsbriefen vertraut. **Zeigen Sie Ihre Gewandtheit in geschäftlichen Beziehungen**

Dieses Anschreiben liefert Personalverantwortlichen keinen Grund, sich näher mit der Bewerbung von Frau Seidler zu beschäftigen. Mit dieser Aufbereitung eines Initiativanschreibens kann eine Bewerbung unmöglich zum Erfolg führen.

Auch im zweiten Negativbeispiel läuft es nicht viel besser. Da verspielt ein Bewerber die Chance, Interesse für sein Qualifikationsprofil zu wecken. Jürgen Kist arbeitet als Marketing Consultant und hat in seinem Unternehmen bereits Führungsverantwortung übernommen. Er möchte in ein anderes Unternehmen wechseln. Bei seinem derzeitigen Arbeitgeber sind die Karriereoptionen schlecht, da interessante Positionen langfristig besetzt sind. Von einem Stellenwechsel erwartet Herr Kist auch eine Ausweitung seiner Kompetenzen im Bereich Public Relations. Das nun folgende Initiativanschreiben hat er ohne große Vorbereitung heruntergeschrieben, nachdem ihm ein Bekannter den Tipp gegeben hat, dass die IT-Solutions GmbH Marketingexperten sucht.

Jürgen Kist
Kronenstr. 14
79101 Freiburg
Handy privat (01 71) – 9 87 65 43
Handy Firma (01 73) – 1 23 45 67
E-Mail: SuperJürgen@t-online.de

IT-Solutions GmbH
Bewerbersichtung
To whom it may concern
Klosterwinkel 1
77747 Stuttgart

Freiburg, 15.04.2002

Negativ-
anschreiben 2 **Betr.: Die Lösung Ihrer Marketingprobleme**

Bez.: Branchengerüchte

Sehr geehrte Entscheider im Unternehmen,

ich bedauere, dass Sie momentan etwas negativ in Ihrer Branche dargestellt werden. Dafür gibt es aber eine Lösung: Mich!

Von einem Bekannten habe ich erfahren, dass Sie dringend kompetente Marketingfachleute suchen. Die Gelegenheit, mich Ihnen vorzustellen, lasse ich mir natürlich nicht entgehen. Meine Erfolge im weiten Feld des Marketings sind unbestreitbar. Mit der mir eigenen Power habe ich meine berufliche Entwicklung durchgezogen. Besonders interessiert bin ich auch an PR-Aufgaben. Daher würde es mich sehr reizen, Ihnen zu einem besseren Standing in der Öffentlichkeit zu verhelfen.

Rufen Sie mich ruhig jederzeit an; über das Gehalt werden wir uns bestimmt einig.

Mit freundlichen Grüßen

Jürgen Kist

Herr Kist bringt Personalverantwortliche genauso ins Grübeln wie Frau Seidler. Er gibt für die telefonische Kontaktaufnahme die Nummer seines Firmenhandys an. Personalverantwortliche schätzen es nicht, wenn ein Bewerber bei der täglichen Arbeit privaten Interessen nachgeht. Eine mögliche Erklärung wäre, dass Herr Kist bei seinem momentanen Arbeitgeber offiziell nicht mehr telefonisch zu erreichen ist. Aber auch das würde nicht für ihn sprechen.

Mit seiner E-Mail-Adresse »SuperJürgen@t-online.de« macht sich Herr Kist zum Spaßvogel, was die Ernsthaftigkeit seiner Bewerbung nicht gerade fördert. Auch Herr Kist hat es nicht für nötig gehalten, sich über das angeschriebene Unternehmen zu informieren. Er gibt sich gar nicht erst die Mühe, dies zu kaschieren. Die flapsige Angabe »Bewerbersichtung, To whom it may concern« zeigt, dass der Bewerber einen Versuchsballon startet. **Sorgfältige Vorbereitung ist unerlässlich**

Dass Herr Kist die heutzutage unüblichen Abkürzungen für die Betreff- und die Bezugzeile verwendet, könnte man ihm noch nachsehen. Nicht aber die Angaben in den betreffenden Zeilen. Die maßlose Übertreibung »Die Lösung Ihrer Marketingprobleme« stößt Personalverantwortliche vor den Kopf und lässt den Bewerber als einen unsympathischen Besserwisser einschätzen.

Statt den Text des Anschreibens positiv zu formulieren und sein Stärkenprofil ins Gespräch zu bringen, wertet Herr Kist das angeschriebene Unternehmen ab. Seine Selbstüberschätzung wirkt wie eine Karikatur und macht ihn unglaubwürdig. Der Informationsgehalt des Anschreibens tendiert gegen null. **Vermeiden Sie unverständliche Aussagen**

Mit seinem letzten Satz gibt Herr Kist zu der Befürchtung Anlass, dass sein Eigenlob vielleicht mit einer drohenden Kündigung zu tun hat. Obwohl er angeblich ein so hoch kompetenter Marketingexperte ist, hebt er hervor, keine besonderen Gehaltsforderungen stellen zu wollen. Es entsteht der Eindruck, dass der Bewerber an seinem Arbeitsplatz dermaßen gestresst ist, dass er zu einer sachlichen Informationsarbeit nicht mehr fähig ist.

Mit seinem Initiativanschreiben wird Herr Kist durchaus Aufsehen erregen: für Personalverantwortliche allerdings in eher abschreckender Weise.

Selbstdarstellungen mit Biss

Das Anschreiben als Qualifikationsprofil Dass das Anschreiben keine lästige Pflichtübung ist, haben die beiden Bewerber Helga Seidler und Jürgen Kist in den nun folgenden Positivbeispielen mittlerweile erkannt. Ihnen ist klar geworden, dass sie mit dem Initiativanschreiben ein überprüfungswürdiges Qualifikationsprofil abliefern müssen. So ermöglichen sie Personalverantwortlichen, sich inhaltlich mit ihrer Person auseinander zu setzen und sich eine Meinung darüber zu bilden, ob sie als Bewerber überhaupt ein Gewinn für das Unternehmen wären.

Helga Seidler, Kreuzweg 112, 77887 Stuttgart
Tel. (07 11) 12 34 21, h.seidler@web.de

E-Components GmbH
Bereich Personal
Gabriele Müller
Industriepark 6

77717 Böblingen

Stuttgart, 04.04.2002

Positivanschreiben 1 **Bewerbung als Produktmanagerin**
Unser Telefongespräch vom 30.03.2002

Sehr geehrte Frau Müller,

unser Telefongespräch hat mich in meinem Wunsch bestätigt, als Produktmanagerin bei Ihnen tätig zu werden. Auch in meiner jetzigen Position betreue ich die Produktentwicklung. In Arbeitsgruppen erarbeite ich zusammen mit der Fertigung und dem Kunden Produktspezifikationen. Ich verfüge über umfassende Kenntnisse in der Schaltungsentwicklung und der Elektronikfertigung.

Bei meinem jetzigen Arbeitgeber bin ich für den gesamten Produktentwicklungsprozess vom Prototypen bis zur Serienreife zuständig. Nach einer Weiterbildung im Projektmanagement und in der Leitung von Qualitätszirkeln habe ich die Umsetzung des kundenorientierten Qualitätsbegriffs in Zusammenarbeit mit der Fertigung übernommen. Meine ersten beruflichen Aufgaben nach dem Berufseinstieg waren die Planung, Durchführung und Auswertung von Entwicklungs- und Freigabeversuchen sowie deren Dokumentation.

Ich habe mein Studium der Elektrotechnik als Diplom-Ingenieurin (TU) abgeschlossen. Als Mitarbeiterin am Institut für Elektrotechnik der TU Braunschweig habe ich Kongresse in internationalen Arbeitsgruppen vorbereitet und Forschungsergebnisse zur Präsentation aufbereitet.

Betriebswirtschaftliche Aspekte und Dienstreisen spielen auch in meiner momentanen Tätigkeit eine große Rolle. Ich spreche sehr gut Englisch und Französisch und würde gern auch internationale Einsätze übernehmen. Für ein Vorstellungsgespräch stehe ich Ihnen selbstverständlich zur Verfügung.

Mit freundlichen Grüßen

Helga Seidler

Helga Seidler bringt gleich am Anfang ihres Initiativanschreibens ihr Profil auf den Punkt. Schlagwortartig stellt sie Besonderheiten heraus und argumentiert von den Anforderungen ihrer Wunschposition her. Um eine wohlmeinende Prüfung zu

Bringen Sie Ihr Profil auf den Punkt

fördern, verweist sie auf das vorab geführte Telefongespräch. Die Angabe, dass sie durch das Gespräch in ihrem Bewerbungswunsch bestätigt wurde, zeigt, dass sie den beabsichtigten Stellenwechsel nicht auf die leichte Schulter nimmt.

Zeichnen Sie Ihre berufliche Entwicklung nach Im zweiten Absatz des Anschreibens von Frau Seidler folgt eine Darstellung ihrer momentanen beruflichen Aufgaben. Sie erwähnt, dass sie sich gezielt weitergebildet hat, und betont ihre Erfahrung in der Leitung von Teams. Ausgehend von ihrer jetzigen Tätigkeit zeichnet Frau Seidler ihre berufliche Entwicklung nach. Dabei erwähnt sie besonders die Aufgaben, die einen Bezug zur angestrebten Wunschposition haben.

Um ihr Profil abzurunden, geht Frau Seidler dann auf ihr Studium ein. Die Arbeit in internationalen Arbeitsgruppen macht deutlich, dass sie sich schon früh in ihrer beruflichen Entwicklung engagiert hat und fächerübergreifend interessiert ist. Damit wird auch ihre Beschäftigung mit betriebswirtschaftlichen Aspekten bei ihrer momentanen Tätigkeit plausibel. Dass Frau Seidler bereit ist, internationale Einsätze zu übernehmen, stellt abschließend noch einmal ihre Leistungsbereitschaft und Flexibilität heraus.

Im Initiativanschreiben von Frau Seidler wird ihr individuelles Profil deutlich. Sie ragt aus der Masse gesichtsloser Standardbewerbungen heraus und hat sich damit eine wohlwollende Prüfung ihrer weiteren Unterlagen erarbeitet.

Positivanschreiben 2

Jürgen Kist
Kronenstr. 14
79101 Freiburg

Tel. (07 07) – 23 45 32
E-Mail: JürgenKist@t-online.de

IT-Solutions GmbH

Human Resources Management
Petra Wollert
Klosterwinkel 1

77747 Stuttgart

Freiburg, 15.04.2002

Bewerbung als Marketing-Spezialist
Unser Telefongespräch vom 10.04.2002

Sehr geehrte Frau Wollert,

vielen Dank für das informative Telefongespräch. Wie vereinbart, übersende ich Ihnen meine Bewerbungsunterlagen. Ich verfüge über mehrjährige Berufserfahrung im Marketing. In den Bereichen Direktmarketing, Unternehmenskommunikation und PR habe ich bereits erfolgreich gearbeitet. Gute Kontakte zu Medienvertretern bringe ich ebenso mit wie Erfahrungen in der Organisation von Messen und Präsentationen.

Momentan leite ich als Marketing Consultant ein Team von vier Mitarbeitern. Diese Position habe ich vor zwei Jahren übernommen, nachdem ich drei Jahre erfolgreich in diesem Bereich gearbeitet hatte. Zu meinen Aufgaben zählt die Erstellung von Marketingplänen, der optimale Einsatz des Marketingmix und die Erfolgskontrolle der durchgeführten Marketingmaßnahmen. Um die Corporate Identity besser zu verankern, habe ich eine umfassende Informationsinfrastruktur im Unternehmen etabliert.

Die Bereiche Anzeigenschaltung, Betreuung der Presse, Verkaufsförderung, Direktmarketing, Veranstaltungsorganisation und Promotion hatte ich bereits vor meinem Einstieg in die jetzige Position erfolgreich bearbeitet. Diese Erfahrungen haben mich in die Lage versetzt, alle Aspekte des Marketings und der Kommunikation strategisch auszurichten und erfolgreich umzusetzen. In meine berufliche Entwicklung bin ich als Diplom-Betriebswirt mit den Schwerpunkten Marketing und Personal eingestiegen.

Sehr gute Englischkenntnisse sind für mich ebenso selbstverständlich wie der sichere Umgang mit Büro-Software. Für ein Vorstellungsgespräch stehe ich Ihnen gern zur Verfügung.

Mit freundlichen Grüßen

Jürgen Kist

Auch Herr Kist geht diesmal geschickter vor. Er verweist gleich zu Anfang auf die Vorbereitung seiner Initiativbewerbung durch ein Telefongespräch und einen ersten Profilabgleich mit dem zuständigen Personalverantwortlichen.

Verdeutlichen Sie Ihre Berufserfahrung Mit der Auflistung seiner Tätigkeitsbereiche verdeutlicht er seine umfassende Berufserfahrung. Die von ihm wahrgenommene Führungsverantwortung belegt er ebenso konkret wie seine Fachkompetenz im Marketing- und PR-Bereich. Die von ihm angegebene Sonderaufgabe »Etablierung einer Informationsinfrastruktur im Unternehmen« unterstreicht sein Engagement und sein Eintreten für Unternehmensziele.

Dass Herr Kist mit beiden Beinen im Berufsleben steht und die Bewältigung des Tagesgeschäfts für ihn selbstverständlich ist, macht er mit einer Aufzählung der von ihm bereits wahrgenommenen beruflichen Aufgaben deutlich. Seine Karriereentwicklung beschreibt er inhaltlich. Er hat sich immer mehr an den Arbeitsinhalten orientiert als an formalen Positionsbezeichnungen. Seine formale Qualifikation handelt er dementsprechend auch

Mit beiden Beinen im Berufsleben mit einem kurzen Verweis auf seinen Studienabschluss ab. Insgesamt vermittelt Herr Kist in seinem Initiativanschreiben das Bild einer engagierten Persönlichkeit, die ständig neue Herausforderungen sucht und die individuelle Weiterentwicklung als durchgängiges Karriereziel sichtbar werden lässt. Damit empfiehlt er sich als Wunschkandidat für jeden Personalverantwortlichen.

Initiativanschreiben: Selbstmarketing in Schriftform

- Initiativanschreiben, die mit einer Postwurfsendung zu verwechseln sind, erwecken bei Personalverantwortlichen kein Interesse.
- Fehler in der Unternehmensanschrift, falsche Bezeichungen der Personalabteilung und der Verzicht auf eine persönliche Anrede lassen bei Personalverantwortlichen den Verdacht aufkommen, dass die Initiativbewerbung nicht gründlich vorbereitet wurde.
- Floskeln und Standardformulierungen im Text des Anschreibens lassen Personalverantwortliche an der Ernsthaftigkeit der Bewerbung zweifeln.
- Übertreibungen und Selbstüberschätzung haben keinen Platz im Initiativanschreiben. Sie wirken unglaubwürdig und fordern zum Widerspruch auf.
- Fachliche Stärken und persönliche Fähigkeiten müssen anhand von konkreten Beispielen belegt werden.
- Der Verweis auf telefonische oder persönliche Gespräche zur Vorbereitung der Initiativbewerbung gehört unbedingt mit ins Anschreiben.
- Eine schlagwortartige Aufzählung der für die neue Position relevanten Berufserfahrungen erlaubt Personalverantwortlichen einen Einstieg in die Profilerfassung und fördert eine wohlwollende Prüfung der Unterlagen.

18

Lebenslauf:
Erfolgspotenzial sichtbar gemacht

Im Lebenslauf sollte der rote Faden in Ihrer beruflichen Entwicklung deutlich werden. Er muss genauso präzise ausgearbeitet werden wie das Initiativanschreiben. Die Arbeit lohnt sich. Mit überzeugendem Anschreiben und Lebenslauf werden Sie Personalverantwortliche beeindrucken. Anhand von misslungenen und gelungenen Beispielen werden wir Ihnen vermitteln, wie Sie Ihren Lebenslauf aufbauen sollten und welche Fehler zu vermeiden sind.

Vielen Bewerbern ist nicht klar, dass die Angaben im Lebenslauf die Aussagen im Anschreiben unterstützen müssen. Anschreiben und Lebenslauf bilden im Idealfall eine Einheit. Das **Anschreiben** heißt, Punkte, die im Anschreiben angesprochen werden, müs-**und Lebens-** sen auch im Lebenslauf auftauchen. Genauso wie das Anschrei-**lauf bilden** ben auf die Wunschposition zugeschnitten werden muss, sollte **eine Einheit** auch der Lebenslauf positionsbezogen ausgestaltet werden.

Wir haben Sie im Kapitel *Der Lebenslauf: übersichtlich und aussagekräftig* mit den Anforderungen an Lebensläufe vertraut gemacht. Sehen Sie nun, wie unsere Tipps und die vorgestellten Strategien in die Praxis umgesetzt werden können. Zunächst werden wir Ihnen in zwei Negativbeispielen vorführen, welche Wirkung schlecht gestaltete Lebensläufe auf Personalverantwortliche haben können. Wie Sie die Hürden der Lebenslaufgestaltung ohne Probleme nehmen, zeigen wir Ihnen anschließend in zwei Positivbeispielen, die jede Prüfung bestehen und einen hohen Informationsgehalt aufweisen.

Verwirrung statt Information

Der Bewerber Sven Schnell hat bei der Suche in älteren Bewerbungsunterlagen einen Lebenslauf gefunden. Da er beruflich sehr eingespannt ist, kommt ihm das gerade recht und er erweitert die Vorlage nur an einigen wenigen Stellen. Mit seinem Anschreiben ist er auch nicht ganz zufrieden. Daher entschließt er sich, den Block »Was Sie sonst noch über mich wissen sollten« mit in den Lebenslauf aufzunehmen. So kann er ohne große Mühe seine Bewerbungsmappe fertig stellen und auf den Weg bringen.

Erstellen Sie Ihren Lebenslauf immer wieder neu

Sven Schnell
Schopenstehl 35
56565 Köln
E-Mail: sven.schnell@full-logic-system.de

Lebenslauf

Zur Person
Geboren 06.06.1966 in Köln, verheiratet, 2 Kinder
Eltern: Horst Schnell und Sonja Schnell (geb. Wittkowski)

Mein Werdegang

1971	Grundschule Köln-West
1973 – 1976	Grundschule Köln-Süd
1976 – 1985	Goethe Gymnasium
1985 – 1987	Wehrdienst
1987 – 1993	BWL-Studium in Bochum
	Diplomarbeit: Nutzen-Aufwand-Betrachtung eines innovativen Systems zur dezentralen Energieversorgung unter betriebs-,

Misslungener Lebenslauf 1

volkswirtschaftlichen sowie umweltökono-
mischen Kriterien

1993 – 1998	Miracle Systems GmbH, Vertriebsmitarbeiter
1994	Englischkurs
1995 – 2000	diverse Weiterbildungen
1998 – heute	Full Logic Systems GmbH, Key Account Manager

Meine Hobbys
Modellflugzeuge, Teilnahme an Modellflugtagen (mit meinem Sohn), 1998 Prämierung meines B-52-Flugzeugmodells auf der Flugschau Aachen, amtierender Deutscher Meister für Konstantflug mit viermotorigen Flugzeugmodellen, Fußball (aktiv spielen und als Schiri)

Was Sie sonst noch über mich wissen sollten
Ich bin nicht auf die betriebswirtschaftliche Seite meiner Arbeit beschränkt. Seit frühester Kindheit bin ich technisch interessiert, was mein Hobby belegt. Meine Arbeit im Vertrieb hat meine durchsetzungsstarke und kundenorientierte Arbeitsweise gefördert. Motivation (sowohl Selbst- als auch Mitarbeiter-) ist für mich kein Fremdwort. Ich will noch viel erreichen und bin stets an Neuem interessiert.

Wichtig: die private Erreichbarkeit

Der mangelnde Einsatz von Herrn Schnell bei der Aufbereitung seines Lebenslaufs wird auf den ersten Blick deutlich. Die Aussagekraft ist sehr gering. Einen groben Schnitzer erlaubt sich Herr Schnell bei der Angabe seiner E-Mail-Adresse. Er führt seine berufliche E-Mail-Adresse bei seinem derzeitigen Arbeitgeber auf. Da er keine Telefonnummer angegeben hat, ist die E-Mail-Adresse die einzige Möglichkeit, zügig mit ihm in

Kontakt zu treten. Dabei riskiert Herr Schnell, dass seine Wechselabsichten bei seinem momentanen Arbeitgeber publik werden.

Die Nennung der Eltern im Block »Zur Person« hätte sich Herr Schnell sparen können. Bei Ausbildungsplatzbewerbern ist diese Angabe durchaus erwünscht. Im Lebenslauf eines Stellenwechslers sorgt sie nur für Heiterkeit beim Personalverantwortlichen oder führt ihn zu der Vermutung, dass sich der Bewerber immer noch nicht von seinen Eltern losgelöst hat.

Diskretion im Bewerbungsverfahren

Der dargestellte Werdegang des Herrn Schnell ist eine reine Nacherzählung der Stationen seines Lebenswegs. Eine besondere berufliche Orientierung wird nicht sichtbar. Herr Schnell verschenkt wichtigen Platz mit der Angabe der von ihm besuchten Grundschulen. Ein Personalverantwortlicher muss sich bei seinem Lebenslauf durch einen Wust irrelevanter Informationen kämpfen, um endlich auf die im Zentrum des Interesses stehende Berufserfahrung zu stoßen.

Ob Sven Schnell sein Studium erfolgreich abgeschlossen hat, ist nicht direkt zu erfahren. Er gibt kein Datum für den Erwerb des Hochschuldiploms an. Es könnte durchaus sein, dass Herr Schnell sein Studium nicht beendet hat und als Studienabbrecher in den Vertrieb der Miracle Systems GmbH eingestiegen ist.

Die durchgängig fehlenden Monatsangaben bei den von Herrn Schnell genannten Verweilzeiten in den einzelnen Stationen lassen Personalverantwortliche stutzig werden. Sollen hier Lücken im Lebenslauf getarnt werden? Vielleicht hat Herr Schnell ja sein Studium im Januar 1993 abgeschlossen oder abgebrochen und ist erst im Dezember 1993 bei Miracle Systems eingestiegen.

Ausschließlich vollständige Zeitangaben

Dass Herr Schnell Weiterbildungen besucht hat, spricht eigentlich für ihn. Er nennt aber weder die Inhalte der Weiterbildungen noch den genauen Zeitpunkt. Dadurch, dass er einen Englischkurs aus dem Jahre 1994 als beruflich relevante Weiterbildung angibt, muss die Befürchtung erwachsen, dass auch die anderen von ihm besuchten Seminare nur wenig mit seiner Berufstätigkeit zu tun haben.

Seine momentane Berufstätigkeit gibt Sven Schnell genauso nichtssagend an wie seine Einstiegsposition. Er nennt nur die

Beschreiben Firmen und seine Berufsbezeichnung. Tätigkeitsangaben feh-
Sie Ihre len völlig. Dafür nimmt die Darstellung seiner Hobbys einen
bisherigen breiten Raum ein. Freizeitaktivitäten scheinen Herrn Schnell
Tätigkeiten mehr zu begeistern als berufliche Aufgaben. Im Hobbybereich nennt er Erfolge, die bei der Darstellung seiner Berufstätigkeit fehlen. Erfolgserlebnisse finden für Herrn Schnell anscheinend außerhalb seiner Arbeit statt.

Der Block »Was Sie sonst noch über mich wissen sollten« lässt die falsche Prioritätensetzung von Herrn Schnell sichtbar werden. Statt sich über die Anforderungen in der neuen Stelle klar zu werden und im Lebenslauf die Tätigkeiten aufzuführen,

Argumen- die einen Bezug zu ihr haben, glaubt Herr Schnell mit ein paar
tieren Sie Floskeln weiterzukommen. Die Punkte, die er hier anspricht,
konkret sind prinzipiell für Personalverantwortliche interessant. Es fehlen jedoch Beispiele, die seine Ausführungen plausibel machen. So wie Herr Schnell formuliert hat, erscheinen die Sätze abgeschrieben und unreflektiert verwendet. Eine Auseinandersetzung mit beruflichen Stärken und Erfolgen hat nicht stattgefunden.

Eine Unterschrift am Ende des Lebenslaufs fehlt ebenso wie eine Angabe über Erstellungsort und -datum. Herr Schnell scheint einen Universallebenslauf für Postwurfsendungen angefertigt zu haben.

Mit seinem Lebenslauf präsentiert sich Herr Schnell als Massenbewerber, der es nicht für nötig hält, sich Gedanken über seine Wunschposition zu machen, und der nicht in der Lage scheint, seine bisherige berufliche Entwicklung aussagekräftig und nachvollziehbar darzustellen. Der Gesamteindruck seines Lebenslaufs vermittelt Personalverantwortlichen: »Die

**Ein liebevoll gestalteter Lebenslauf bringt Ihnen
Pluspunkte**

Bewerbung bei Ihrem Unternehmen ist mir absolut keine Mühe wert.«

Das zweite Negativbeispiel, der Lebenslauf von Petra Beyer, stiftet ebenfalls Verwirrung. Man merkt ihm an, dass sich Frau Beyer durchaus bemüht hat. Dennoch fehlt an vielen Stellen der Feinschliff und wichtige Informationen bleiben auf der Strecke.

Mühe allein genügt nicht

Petra Beyer
Prinzengasse 87
89898 Augsburg

Lebenslauf

geb. am 01.12.1970 in Bayreuth, verheiratet

Schule, Ausbildung, Studium
Besuch der Grundschule von 1976 – 1980

Besuch der Fachoberschule von 1980 – 1988
Ausbildung zur Groß- und Außenhandelskauffrau von August 88 bis Juli 91
Studium der Betriebswirtschaftslehre an der Fachhochschule Regensburg von Oktober 91 bis April 96

Berufstätigkeit
Berufseinsteig als Sachbearbeiterin in der Firma Car Systems, Pflege von Personalakten von Juni 96 bis Dezember 97
Personalassistentin bei der Media AG, Augsburg, Arbeit in der Personalabteilung, Wahrnehmung verwaltender Aufgaben von Januar 98 bis jetzt

Sonstiges
Weiterbildung: Kreatives Personalmarketing, Bewerberauswahl, rechtliche Fragen
Engagement: Arbeitskreis Personalpraxis
Sprachen: Englisch und Italienisch
Computer: Textverarbeitung und andere Programme

Petra Beyer

Frau Beyer verzichtet in Ihrem Lebenslauf komplett auf die Angabe einer Kontaktmöglichkeit per Telefon oder E-Mail. Es entsteht der Eindruck, dass sie mit einer kurzfristigen Kontaktaufnahme nicht einverstanden ist und sich abschotten will.

Die wichtigen Informationen gehören nach vorn Eine Blockbildung gibt es in ihrem Lebenslauf schon, allerdings nutzt sie die nicht, um die relevanten Punkte ihres Profils in den Vordergrund zu stellen. Sie beginnt ihren Lebenslauf nicht mit dem für Personalverantwortliche besonders interessanten Block »Berufstätigkeit«, sondern startet im Block »Schule, Ausbildung, Studium« mit der vor Jahrzehnten besuchten Grundschule. Danach geht es chronologisch weiter, sodass sie sich die Blockbildung auch hätte sparen können. Der Lebenslauf von Frau Beyer beginnt also mit einer irrelevanten Information und wird anschließend als Nacherzählung des Lebenswegs weitergeführt.

Ein besonderes Problem bei diesem Lebenslauf ist, dass die Zeitangaben nicht auf einen Blick zu erkennen sind. Damit wird der Lebenslauf extrem prüfungsunfreundlich. Ein Personalverantwortlicher müsste die Zeiträume der einzelnen Stationen heraussuchen und links neben dem Text vermerken. Die Zeitangaben sind zudem nicht im gleichen Format gehalten. Frau Beyer beginnt mit vierstelligen Jahreszahlen und wechselt dann zu ausgeschriebenen Monaten und zweistelligen Jahreszahlen. Es entsteht der Eindruck einer sprunghaften Arbeitsweise.

Wichtig: der prüfungsfreundliche Lebenslauf

Im Block »Berufstätigkeit« wählt sie Tätigkeitsbeschreibungen aus, die besonders nichtssagend sind. Die Pflege von Personalakten in ihrer ersten Stelle und die Wahrnehmung verwaltender Aufgaben in der zweiten lassen die Vermutung zu, dass sie eher Sekretariatsaufgaben übernommen hat als Aufgaben in der Personalauswahl, -verwaltung oder -entwicklung.

Wählen Sie aussagekräftige Tätigkeitsbeschreibungen

Die Angaben zur Weiterbildung und zu ihrem ehrenamtlichen Engagement sind nicht geeignet, um besonderes Interesse hervorzurufen. Frau Beyer verkauft sich hier womöglich unter Wert. Ihre Sprach- und Computerkenntnisse sind ähnlich nichtssagend aufgeführt. Ob Frau Beyer die Sprachen und PC-Programme tatsächlich beherrscht, lässt sich aus dem Lebenslauf nicht herauslesen.

Immerhin hat Frau Beyer den Lebenslauf mit Vor- und Zunamen unterschrieben. Erstellungsort und -datum fehlen aber. Es entsteht der Eindruck, dass Frau Beyer den Lebenslauf weiterverwenden möchte, falls sie eine Absage erhält.

Frau Beyer hat die Chance verspielt, mit ihrem Lebenslauf auf sich aufmerksam zu machen. Besonderes Interesse an ihrem Qualifikationsprofil wird bei Personalverantwortlichen mit dieser Art der Darstellung nicht ausgelöst.

Informative Entscheidungshilfe

Der schnelle Zugriff auf wichtige Informationen

Sie sehen nun eine überarbeitete Version des Lebenslaufs von Sven Schnell. Diesmal hat Herr Schnell seinen Lebenslauf positionsbezogen aufbereitet und mit Tätigkeitsangaben aussagekräftig gemacht. Lassen Sie sich davon beeindrucken, wie mit einer verdichteten Informationsvermittlung das berufliche Profil sichtbar gemacht wird. Für den Leser in der Personalabteilung wird jetzt ein roter Faden in der beruflichen Entwicklung nachvollziehbar. Personalverantwortliche können so schnell auf die für sie relevanten Daten zurückgreifen.

Sven Schnell
Schopenstehl 35
56565 Köln

Tel. (02 22) – 12 34-567
Fax: (02 22) – 12 34-566
E-Mail: sven.schnell@gmx.de

Lebenslauf

Gelungener Lebenslauf 1

Persönliche Daten

geboren 06.06.1966 in Köln, verheiratet, 2 Kinder

Berufstätigkeit

05/1998 – heute Full Logic Systems GmbH (Systemintegration), Key Account Manager: Entwicklung der Kundenbeziehungen, Weiterentwicklung der IT-Strategie von Kunden, Koordination der Angebotserstellung, Wettbewerberbeobachtung und Durchführung von Marktpotenzialanalysen

05/1997 – 03/1998   Miracle Systems GmbH (Softwareintegration), Sales Consultant, Vertriebsaußendienst: Akquisition, Kundenbetreuung, Angebotserstellung

10/1993 – 04/1997   Miracle Systems GmbH, Vertriebsinnendienst, Sales Associate: Erstellung von Serviceangeboten aus dem Dienstleistungsportfolio, Telefonvertrieb, Auftragsbearbeitung

Studium

15.09.1993   Diplom-Kaufmann

03/1987 – 09/1993   Studium der Betriebswirtschaftslehre an der Ruhr-Universität Bochum

Wehrdienst, Schule

08/1985 – 03/1987   Wehrdienst, Schnellbootgeschwader III, Wilhelmshaven

30.06.1985   Abitur am Goethe Gymnasium Köln

Weiterbildung

06/2000   Weiterbildungs GmbH, Projektmanagement in Theorie und Praxis

10/1999   Verkaufsakademie, Aktives Beziehungsmanagement – Neue Wege der Kundenbetreuung

04/1995   Akademie für Fortbildung, Netzwerktechnologien

Zusatzqualifikationen

Sprachen   Englisch (sehr gut)

| EDV-Kenntnisse | Bürosoftware MS-Office (gut) |
| | Netzwerke (sehr gut) |

Köln, 10.10.2002   *Sven Schnell*

In seiner Adresse gibt Herr Schnell mehrere Möglichkeiten an, mit ihm persönlich in Kontakt zu treten. Er nennt diesmal seine private E-Mail-Adresse.

Angenehm ins Auge fällt sofort die Blockbildung im Lebenslauf. Die für eine Personalentscheidung besonders wichtige Beschreibung seiner momentanen Tätigkeit steht am Anfang des Lebenslaufs und muss nicht mühsam gesucht werden.

Mit der richtigen Blockbildung zu einer aussagekräftigen Struktur Bei der Darstellung seiner beruflichen Aufgaben gibt Sven Schnell nicht nur seine Positionsbezeichnungen an, sondern auch wesentliche Tätigkeiten, die für das angeschriebene Unternehmen interessant sind. Damit vermeidet er eine zu knappe Darstellung seiner Qualifikationen, begeht aber zugleich nicht den Fehler, unverzichtbare Kerndaten in einer Informationsflut untergehen zu lassen.

Diese Strategie behält Herr Schnell auch bei der Darstellung seiner vorangegangenen beruflichen Tätigkeiten bei. Mit seiner Version der Aufbereitung macht er seinen innerbetrieblichen Aufstieg erkennbar.

Links neben den fundierten Beschreibungen seiner Stationen im Lebenslauf gibt Herr Schnell eine Zeitleiste an. Mit der Nennung von Monat und Jahr lässt er gar nicht erst den Eindruck entstehen, dass er einen Leerlauf zu verbergen hätte.

Als Stellenwechsler mit mehreren Jahren Berufserfahrung können die beiden Blöcke »Studium« und »Wehrdienst, Schule« kurz abgehandelt werden. Bei Abschlussprüfungen gibt Herr Schnell das Tagesdatum an. So brauchen Personalverantwortliche nicht erst in Zeugnissen zu blättern, um herauszufinden, ob das Studium erfolgreich abgeschlossen wurde.

Die von Herrn Schnell aufgeführten Weiterbildungsmaßnahmen sind mit aussagekräftigen Titeln versehen. Damit wird **Pluspunkte** der Nutzen für das beworbene Unternehmen sichtbar. Es ist **durch den** auch zu erkennen, dass sich Herr Schnell immer wieder um **richtigen** seine fachliche Weiterentwicklung gekümmert hat. Auf die **Aufbau** Aufzählung von Hobbys verzichtet er. Dafür versieht er seine EDV- und Sprachkenntnisse mit einer Bewertung.

Der ohne Störfaktoren gut aufgebaute Lebenslauf schafft es, Personalverantwortliche gleich auf die beruflichen Stärken von Herrn Schnell hinzuweisen. Damit empfiehlt sich Herr Schnell für ein Vorstellungsgespräch.

Der als Nächstes folgende, gelungene Lebenslauf von Petra Beyer hat ebenso deutlich an Aussagekraft gewonnen. Diesmal ist er prüfungsfreundlich aufgebaut. Ihr guter Wille, Personalverantwortlichen Entscheidungshilfe zu geben, bleibt nicht verborgen. Sie schafft es, die Schwachstellen auszuräumen und sich gekonnt zu präsentieren.

Petra Beyer
Prinzengasse 87
89898 Augsburg

Tel. und Fax (08 08) 1 23 45 67
mobil (01 71) 9 89 98 89
petra.beyer@web.de

Lebenslauf

Persönliche Daten

geb. am 01.12.1970 in Bayreuth, verheiratet

Berufstätigkeit

01/1998 – heute	Media AG, Augsburg, Personalabteilung, Personalassistentin: Organisation von Rekrutierungsmaßnahmen, Durchführung von Personalmaßnahmen (Eintritte, Versetzungen, Austritte, Gehaltsabrechnung), Mitarbeit an Personalentwicklungskonzepten, Beratung von Mitarbeitern im Komplex gesetzlicher, tariflicher und betrieblicher Vorschriften
06/1996 – 12/1997	Car Systems GmbH, Regensburg, Abteilung Personal, Personalsachbearbeiterin: Entgeltabrechnung, Urlaubsplanung, Führen von Personalakten, Mitarbeit bei der Neugestaltung von Arbeitszeitmodellen und Gehaltssystemen

Studium und Ausbildung

10/1991 – 04/1996	Studium der Betriebswirtschaftslehre, Fachhochschule Regensburg, Schwerpunkt Personal- und Sozialwesen
15.04.1996	Diplom-Betriebswirtin (FH)
08/1988 – 07/1991	Import GmbH, Augsburg, Ausbildung zur Kauffrau im Groß- und Außenhandel
20.07.1991	Kauffrau im Groß- und Außenhandel

Schulabschluss

30.06.1988	Fachhochschulreife, Fachoberschule Augsburg, Fachrichtung Wirtschaft

Weiterbildung, Sonstiges

10/2000	Institut für Personalwirtschaft, Kreatives Personalmarketing
seit 05/1999	Industrie- und Handelskammer Augsburg, Arbeitskreis Personalpraxis, stellv. Leiterin

04/1999	Personalberatung Dr. Müller, Eignungs-diagnostik
08/1996	Institut für Personalwirtschaft, Arbeits- und Sozialrecht in der Praxis

Zusatzqualifikationen

Sprachen:	Englisch (gut), Italienisch (Grundkennt-nisse)
EDV:	WinWord (sehr gut), Excel (gut), Daten-banken (gut)

Augsburg, 14.08.2002   *Petra Beyer*

Petra Beyer eröffnet diesmal auch Möglichkeiten, abseits des Schriftverkehrs mit ihr in Kontakt zu kommen. Neben Telefon, Fax und E-Mail-Adresse gibt sie auch ihre private Handynummer an.

Im Gegensatz zur schlechten ersten Version hat sie hier eine Zeitleiste angegeben. Die Verweildauer in den einzelnen Stationen muss nicht mehr mühsam aus dem Text herausgefiltert werden. Durchgängig hat Frau Beyer zu Monats- und Jahresangaben gegriffen. Bei ihr ist es besonders wichtig, dass sie die Tagesdaten für die Abschlussprüfungen angibt. So vermeidet sie die Vermutung, dass sie ihre Ausbildung zur Kauffrau im Groß- und Außenhandel abgebrochen haben könnte.

So wird der Lebenslauf prüfungs-freundlich

Mit der Umstellung der im Lebenslauf genannten Blöcke erreicht sie, dass ihre Berufserfahrung sofort ins Auge springt. Die genannten Tätigkeiten vermitteln das Bild einer Initiativbewerberin, die sehr umfassende Erfahrungen in der Personalarbeit hat. Ebenso wird deutlich, dass sie nicht nur von der Positionsbezeichnung, sondern auch von ihren Arbeitsinhalten her aufgestiegen ist.

Beim Studium stellt Frau Beyer ihren Schwerpunkt heraus. Damit zeigt sie Personalverantwortlichen die Stringenz in der beruflichen Entwicklung. Nach ihrer Ausbildung hat sie sich konsequent für die Übernahme von Aufgaben in der Personalarbeit qualifiziert.

Der Block »Weiterbildung, Sonstiges« ist diesmal so differenziert dargestellt, dass er Aussagekraft gewinnt. Insbesondere springt das ehrenamtliche Engagement von Frau Beyer als stellvertretende Leiterin des Arbeitskreises Personalpraxis der Industrie- und Handelskammer Augsburg ins Auge. Ihre Sprach- und EDV-Kenntnisse bewertet Frau Beyer im Block »Zusatzqualifikationen« und unterschreibt Ihren Lebenslauf mit Ort, Datum und Vor- und Zunamen.

Lernfähigkeit und Engagement werden sichtbar

Aus dem Lebenslauf von Petra Beyer ergibt sich jetzt das Bild einer umfassend qualifizierten Bewerberin, die ihre berufliche Entwicklung konsequent vorangetrieben hat und die sich auch neben der Arbeit ehrenamtlich in ihrem Tätigkeitsbereich engagiert. Mit diesem Lebenslauf wird Frau Beyer bei Personalverantwortlichen besondere Aufmerksamkeit für ihr Qualifikationsprofil gewinnen können.

Auf einen Blick

Im Blick

Lebenslauf: Erfolgspotenzial sichtbar gemacht

- Die Informationen im Lebenslauf sollen die Kernaussagen aus Ihrem Initiativanschreiben unterstützen.
- Zeitangaben, die nur in Jahren erfolgen und womöglich im Text versteckt werden, machen den Lebenslauf extrem prüfungsunfreundlich.
- Wenn Sie nur die formalen Positionsbezeichnungen nennen, die Ihre beruflichen Tätigkeiten etikettieren, wird kein aussagekräftiges Profil erkennbar.

- Werden Hobbys ausführlicher angegeben als einzelne berufliche Stationen, vermuten Personalverantwortliche, dass die Leistungsfähigkeit des Bewerbers wohl eher im Freizeitbereich liegt.
- Gliedern Sie Ihren Lebenslauf in Blöcke, so strukturieren Sie Ihre Informationen.
- Der Schwerpunkt im Lebenslauf liegt bei der Darstellung der beruflichen Entwicklung. Ausführliche Angaben zu Schule, Ausbildung, Studium und Wehr- oder Zivildienst sind bei Stellenwechslern entbehrlich.
- Ihre berufliche Qualifikation muss deutlich herausgestellt werden. Der Block »Berufstätigkeit« gehört deshalb an den Anfang des Lebenslaufs.
- Lebensläufe müssen positionsbezogen aufbereitet werden. Verwenden Sie Tätigkeitsangaben, die einen Bezug zur neuen Position herstellen.

19

Das Bewerbungsfoto:
Der erste Eindruck zählt

Lesen Sie bei Werbeanzeigen zuerst den Text oder betrachten Sie das Foto? Ein gutes Bewerbungsfoto allein reicht nicht aus, um Ihnen eine Einladung zum Vorstellungsgespräch zu verschaffen. Ein schlechtes Foto kann Ihnen aber viele Chancen verbauen. Unsere Gegenüberstellung von missratenen und gelungenen Bewerbungsfotos bietet Ihnen Hilfestellung bei der Anfertigung eigener Aufnahmen.

Der persönliche Eindruck, den Sie mit Ihrer Initiativbewerbung hinterlassen, wird auch vom Bewerbungsfoto geprägt. Es ist auf jeden Fall lohnend, sich intensiv mit der optimalen Anfertigung von Bewerbungsfotos auseinander zu setzen. Im Kapitel *Sympathiefaktor Bewerbungsfoto* haben wir Sie darauf hingewiesen, was Sie auf dem Weg zum guten Foto beachten sollten. Damit Sie erkennen, was alles schief gehen kann und wie gute Fotos aussehen sollten, werden wir nun sechs Bewerbungsfotos besprechen. Dabei handelt es sich um jeweils zwei Aufnahmen von drei Bewerbern. Bei jedem Bewerber ist eine Aufnahme schief gegangen. Die andere zeigt, welchen Ansprüchen ein gutes Bewerbungsfoto genügen sollte.

Treten Sie gekonnt in Erscheinung

Unter *www.karriereakademie.de* finden Sie die Farbversionen der hier schwarz-weiß abgedruckten Fotos. Lassen Sie die Fotos auch in Farbe auf sich wirken, dann können Sie die Forderung von Personalverantwortlichen nach Farbfotos besser nachvollziehen. Ihr persönlicher Eindruck ist auf Farbfotos konkreter als auf Schwarz-Weiß-Fotos.

Ein düsterer Bewerber

Der Bewerber auf dem Foto 1 macht bei seiner visuellen Selbstdarstellung mehrere Fehler, die häufig zu sehen sind. Augenfällig ist der viel zu dunkle Hintergrund, der den Bewerber zu verschlucken scheint. Dadurch wirkt das Foto ziemlich bedrückend.

Gegen das gewählte Querformat ist prinzipiell nichts einzuwenden. Schließlich ist das Bewerbungsfoto eine Porträtaufnahme, bei der auch die Schultern des Bewerbers sichtbar sein sollten. Allerdings ist der Bildausschnitt ungünstig gewählt. Der Bewerber hat sich den oberen Teil seines Kopfes »abrasieren« lassen. Es gibt durchaus Fotografen, die diese Art von Bewerberfotos propagieren. Sie begründen dies mit der Auffassung, dass das Foto signalisieren muss, dass vom Bewerber mehr zu erwarten ist als hier sichtbar wird. Diese Argumentation könnte bei Fotos für Kontaktanzeigen eventuell akzeptiert werden; im Bewerbungsverfahren hat sie nichts zu suchen. Per-

Bewerbungsfotos sind Porträtaufnahmen

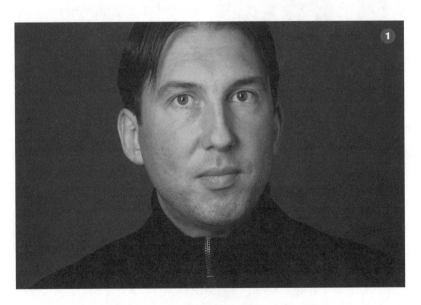

Das Grauen kam um Mitternacht

sonalverantwortliche geraten bei Fotos dieser Art ins Grübeln über die Persönlichkeit des Bewerbers: Hat er das Foto schlampig ausgewählt? Ist er ein Eigenbrötler? Oder neigt er zu Auffälligkeiten?

Der schlechte Eindruck, den der Bewerber hinterlässt, wird durch den dunklen Rollkragenpullover verstärkt. Damit kann er seine Erscheinung kaum von dem düsteren Hintergrund abheben. Außerdem ist dieses Kleidungsstück sicherlich nicht dazu geeignet, um repräsentative Aufgaben für das neue Unternehmen wahrzunehmen.

Mit wachem Blick zum Ziel

Mit seinem mürrischen Ausdruck und dem abwesenden Blick wirkt der Bewerber sehr verschlossen. Offenheit für Neues lässt er nicht vermuten. Dieses Foto vermittelt den Gesamteindruck, dass der Bewerber distanziert, eigenwillig und unkommunikativ ist.

Das Foto 2 zeigt den Bewerber diesmal mit hellwachem Gesichtsausdruck. Der Blick wirkt dynamisch. Es entsteht der Eindruck einer zupackenden Persönlichkeit, die Herausforderungen offensiv angeht. Der Hintergrund des Fotos ist leicht abgetönt. Zum dunklen Jackett hin hellt der Farbverlauf auf. Es entstehen klare Konturen, die eine eigenständige Persönlichkeit vermuten lassen.

Offenheit und Dynamik

Businessmäßige Kleidung unterstützt den Eindruck eines Bewerbers, der weiß, was er will und was auf ihn zukommt. Er präsentiert sich in dem für Kundenkontakte angemessenen Outfit. Das Foto ist so aufgenommen, dass bei dem Betrachter der Eindruck entsteht, dass der Bewerber sich an ihn wendet und den direkten Augenkontakt zu ihm sucht.

Ein angemessenes Outfit für Kundenkontakte

Das Foto vermittelt eine kontaktfreudige, selbstbewusst agierende und leistungsbereite Persönlichkeit. Besonders für Positionen, in denen Kundenkontakte, die Gestaltung von Geschäftsbeziehungen oder Beratungsaufgaben eine Rolle spielen, wäre dieses Foto gut geeignet.

Schnellschüsse aus dem Fotoautomat

In die typische Falle eines Fotoautomaten ist die Bewerberin auf dem Foto 3 getappt. Ihr Gesicht wirkt durch die zu frontale Aufnahme sehr flächig und wenig ausdrucksstark. Die zu weit aufgerissenen Augen sind ein häufiges Problem von Automatenfotos. Es entsteht schnell eine Mischung aus ängstlichem und leicht debilem Ausdruck. Damit kann sich die Bewerberin aber nicht für qualifizierte Positionen empfehlen.

Das Foto ist schlecht ausgeleuchtet, sodass auf der rechten Kopf- und Schulterseite starke Lichtreflexe entstehen. Die Bewerberin wirkt, als hätte der Blitz in sie einge-

Babydoll in der Fotobox

Sympathie durch ein offenes Wesen

schlagen und sie zur Salzsäule erstarren lassen. Es ist hier keinerlei Dynamik zu erkennen.

Bei der Kleidungswahl hat die Bewerberin danebengegriffen. Der bunt geblümte Pullover zeigt, dass sie nicht zwischen ihrer Lieblingsbekleidung und der für seriöse Geschäftskontakte geeigneten Bekleidung unterscheiden kann. Man muss der Bewerberin eine mangelnde Anpassungsfähigkeit unterstellen. Dieser Eindruck wird durch den keck auf dem Kopf zusammengebundenen Pferdeschwanz verstärkt. Für einen Discobesuch mag dieser lockere Auftritt angemessen sein, um sich bei einem Unternehmen ins Gespräch zu bringen aber sicherlich nicht.

Einen kompetenten Eindruck macht die Bewerberin auf dem Foto 4. Sie hat ihre Kleidung auf das Bewerbungsverfahren abgestimmt. Das Foto vermittelt einen professionellen Auftritt. Dies gilt sowohl für die Aufmachung der Bewerberin als auch für die Anfertigung des Fotos. Vor einem hellem Hintergrund kann sie ihren Ausdruck voll entfalten. Eine gute Ausleuchtung schafft Tiefe und lässt sie dadurch sehr plastisch wirken.

Treten Sie professionell auf

Ein gut gewählter Bildausschnitt setzt die Bewerberin überzeugend in Szene. Sie präsentiert sich mit freundlichem Lächeln und offenem Blick und wirkt kompetent. Das Foto vermittelt den souveränen Eindruck einer gefestigten Persönlichkeit. Auch unter Belastung und bei besonderem Stress wird diese Bewerberin vermutlich gelassen bleiben und sich nicht von ihren beruflichen Aufgaben abbringen lassen. **Kompetente Ausstrahlung**

Aus der Verbrecherkartei entliehen

Bei dem Foto 5 fehlt eigentlich nur noch ein Schild mit einer Zahlenkolonne vor der Brust, dann wäre der Eindruck eines Strafgefangenen perfekt. Die Aufteilung des Fotos ist sehr ungeschickt. Dadurch, dass der Bewerber von unten her aufgenommen wurde, wirkt sein Kopf sehr klein und der Oberkörper nimmt den Großteil des Bildes ein.

Das verkniffene Lächeln zeigt, dass er sich in seiner Haut nicht besonders wohl fühlt. Wenn er schon bei der Anfertigung des Bewerbungsfotos unter Stress gerät, ist seine Belastbarkeit im betrieblichen Alltag wohl nicht besonders hoch einzuschätzen. Seine Unsicherheit scheint der Bewerber mit Machogehabe wettmachen zu wollen. Das Hemd ist weit aufgeknöpft, die Brusthaare schauen heraus. Warum er ein derart schrilles Hemd zu den Bewerbungsaufnahmen angezogen

Verurteilt wegen Vergehens gegen das Bewerbungsverfahren

6

hat, wird wohl sein Geheimnis bleiben.

Die frontale Präsentation des Bewerbers bringt Aggressivität ins Spiel. Zusammen mit der Kleidungswahl und dem Gangsterbärtchen ergibt sich das Bild eines Bewerbers, den man lieber nicht näher kennen lernen möchte.

Etwas Nachdenken über den Sinn und Zweck des Bewerbungsfotos hat auch diesen Bewerber auf die richtige Fährte geführt. Auf dem Foto 6 hat er korrekte Kleidung gewählt und sich einem professionellen Fotografen anvertraut.

Interesse durch sympathische Ausstrahlung

Aus einer leicht seitlichen Position wendet der Bewerber den Kopf zum Betrachter und demonstriert damit freundliche Offenheit. Ein leichtes Lächeln signalisiert Gelassenheit im Bewusstsein der eigenen Stärken.

Der Hintergrund des Fotos ist leicht abgetönt und hellt sich nach unten hin auf. Zusammen mit einer guten Ausleuchtung **Gelassen in** des Gesichts wirkt das Bewerbungsfoto komplex und viel-**die nächste** schichtig. Der Bewerber macht einen sympathischen Eindruck **Runde** und scheint bereit zu sein, Verantwortung für den Erfolg des Unternehmens und seine berufliche Entwicklung übernehmen zu wollen.

Das Bewerbungsfoto:
Der erste Eindruck zählt

Im Blick

- Wählen Sie bei Bewerbungsfotos keinen zu dunklen Hintergrund, sonst geben Sie sich eine düstere Aura, die Sympathiepunkte kostet.
- Mit einem mürrischen Gesichtsausdruck werden Sie nicht erreichen, dass man Ihnen gegenüber freundliches Entgegenkommen zeigt.
- Lassen Sie sich nicht zu frontal fotografieren. Es fehlt sonst die Tiefe, die ein Foto interessant macht.
- Eine gute Ausleuchtung ist wichtig. Gehen Sie zu einem professionellen Fotografen. Meiden Sie Fotoautomaten!
- Achten Sie darauf, dass Ihr Kopf auf dem Foto vollständig zu sehen ist. Um die Forderung nach einem Porträtfoto zu erfüllen, sollte ebenfalls ein Teil Ihrer Schultern sichtbar sein.
- Wählen Sie für das Foto eine für berufliche Kontakte angemessene Kleidung.
- Schauen Sie freundlich in die Kamera. Sonst wird man vermuten, dass allein schon das Shooting Sie unter Stress setzt, und an Ihrer Belastungsfähigkeit zweifeln.

20

Online-Bewerbung:
der schnelle Kontakt

Riskieren Sie nicht, mit Ihrer Online-Bewerbung weggeklickt zu werden, weil sie nichtssagende E-Mails versandt haben. Es kommt auch bei der Online-Bewerbung auf den Inhalt an. Lernen Sie aus den Fehlern anderer. Das Negativbeispiel zeigt Ihnen den fehlgeschlagenen Versuch, sich mit einem lieblosen E-Mail-Anschreiben zu bewerben. Wie Sie sich mit einem gut aufbereiteten Online-Anschreiben den Weg ins Wunschunternehmen bahnen, verdeutlicht Ihnen das Positivbeispiel.

Online-Bewerbungen können für Initiativbewerber schnell zu einer Fehlerfalle werden. Der lockere Umgangston im Internet veranlasst viele Bewerber, sich nur wenig Mühe bei der Aufbereitung ihrer E-Mail-Anschreiben zu geben.

Vorbereitung zahlt sich immer aus Personalverantwortliche stehen Online-Bewerbungen deshalb mit gemischten Gefühlen gegenüber. Diese neue Möglichkeit der Kontaktaufnahme hat keinesfalls die Regeln des Bewerbungsverfahrens außer Kraft gesetzt. Im Kapitel *Online bewerben: Initiative im Internet* haben wir Ihnen bereits einige Standards vorgestellt, die bei Online-Bewerbungen zu beachten sind. Wenn Sie sich damit ausführlicher auseinander setzen möchten, empfehlen wir Ihnen unseren Ratgeber *Die gelungene Online-Bewerbung. Vom ersten Kontakt zum Vorstellungsgespräch.*

Weggeklickt

Sascha Hauschildt hat sich dafür entschieden, die unbegrenzten Möglichkeiten des World Wide Web für seine Karriere zu nutzen. Er hofft, mit dem Versand von E-Mails interessante Arbeitsangebote aus den Unternehmen herauszulocken. Auf diese Weise will er sich den Griff zum Telefonhörer ersparen und den ersten Kontakt unverbindlich gestalten.

An:	info@dental-tech.de
Cc:	info@zahntechnik.de info@zahnlabore.com
	info@powerdent.de
Betreff:	Diese Mail hat Aufmerksamkeit verdient

Sehr geehrte Damen und Herren!
Vertriebspersönlichkeit gesucht? Unter *topseller@gmx.de* können Sie Kontakt mit einem Vertriebsprofi aufnehmen. Mailen Sie mir bitte Ihre Stellenangebote. Vielleicht fällt Ihnen ja auf Anhieb eine Einsatzmöglichkeit für mein außergewöhnliches Profil ein. Ich bin selbstverständlich teamfähig, ganz besonders zeichne ich mich durch mein Engagement und meine Kundenorientierung aus. Greifen Sie zu, bevor es andere tun.

Misslunge Kontaktaufnahme

Ein Fehler, der immer wieder in Online-Bewerbungen auftaucht, springt auch bei der Initiativbewerbung von Sascha Hauschildt sofort ins Auge: Statt sich die Mühe zu machen, eine aussagekräftige und individuell formulierte Bewerbung auszuarbeiten, wird ein Standardtext an mehrere Unternehmen gemailt.

Informieren Sie sich gründlich

Schon die benutzte E-Mail-Adresse des angemailten Unternehmens – *info@dental-tech.de* – verheißt nichts Gutes. Herr Hauschildt hat keinerlei Informationsrecherche betrieben. Er versendet seine Online-Bewerbung einfach an die allgemeine

E-Mail-Adresse des Unternehmens, statt sie einem persönlichen Empfänger zukommen zu lassen.

E-Mails punktgenau versenden Mit der aktivierten Rundschreibenfunktion im Feld Cc (Copy carbon = Durchschlag) bindet der Bewerber jedem kontaktierten Unternehmen auf die Nase, dass er zur ungeliebten Spezies der Massenbewerber gehört. Die Angabe in der Betreffzeile »Diese Mail hat Aufmerksamkeit verdient« lässt eher eine Junk-Mail vermuten als eine Bewerbung.

Gutes inhaltliches Selbstmarketing verwechselt Herr Hauschildt leider mit billigen Werbeslogans. Die Gefahr, allein wegen der Betreffzeile im elektronischen Papierkorb zu landen, bevor ein Personalverantwortlicher auch nur einen Blick auf den Text geworfen hat, ist damit relativ groß.

Aber selbst der Text seiner E-Mail ist nicht vielversprechend. Nach der Universalanrede »Sehr geehrte Damen und Herren« verliert Herr Hauschildt sich in Plattitüden. Er ignoriert die Verpflichtung eines Bewerbers, ein aussagekräftiges Profil zu liefern, **Belegen Sie Ihre Kompetenzen** und möchte diese Arbeit am liebsten an das angemailte Unternehmen delegieren. Die Frage »Vielleicht fällt Ihnen ja auf Anhieb eine Einsatzmöglichkeit für mein außergewöhnliches Profil ein?« wird unbeantwortet bleiben. Nicht zuletzt deswegen, weil überhaupt kein Profil sichtbar ist. Eine Auflistung abstrakter Floskeln aus dem Bereich soziale Kompetenz dient auf jeden Fall nicht dazu, ein eigenständiges Bild des Bewerbers zu vermitteln.

Am Ende seiner E-Mail greift Herr Hauschildt zu der Drückerformulierung »Greifen Sie zu, bevor es andere tun«. Seine Chancen, dass jemand zugreifen wird, stehen allerdings äußerst schlecht.

Erfolg per Tastendruck

Auch mit einer Online-Bewerbung lässt sich ein persönliches Profil transportieren. Das beweist Sascha Hauschildt mit der neuen Version seines E-Mail-Anschreibens. Er ist sich bewusst geworden, dass die Zeiten, in denen man allein durch die Wahl der modernen Bewerbungsform E-Mail-Versand Aufmerksamkeit erregen konnte, längst vorbei sind. Seine Online-Bewerbung hat Herr Hauschildt diesmal gründlich vorbereitet.

Machen Sie Ihr Profil deutlich

An:	werner.schretter@dental-tech.de
Cc:	
Betreff:	Bewerbung als Technischer Verkaufsberater

Sascha Hauschildt, Rosenstr. 16, 22334 Hamburg
Tel. (0 40) 55 44 55, sascha.hauschildt@t-online.de

Dental-Tech AG
Personalabteilung
Herr Schretter
Ost-West-Straße 321

22213 Hamburg

Hamburg, 05.02.2002

Bewerbung als Technischer Verkaufsberater
Unser Gespräch auf dem Karrieretag Hamburg und unser Telefonat vom 03.02.2002

Gelungene Kontaktaufnahme

Sehr geehrter Herr Schretter,

es hat mich sehr gefreut, dass Sie Interesse an meiner Bewerbung haben. Wie bereits dargelegt, verfüge ich über umfassende Vertriebserfahrung in der Dentalbranche.

Zurzeit arbeite ich in der Vertriebsabteilung der ProDent Dentaldepot GmbH & Co. KG als Fachberater. Neben der Angebotserstellung und der Auftragsabwicklung bin ich für die Warendisposition verantwortlich und in der Neukundenakquisition tätig. Den

Außendienst unterstütze ich durch Mailingaktionen und Verkaufsstatistiken.

Vor meiner heutigen Position habe ich als Vertriebsbeauftragter bei der Future-Work GmbH gearbeitet. Zu meinen Aufgaben gehörte die Neukundenwerbung, die Kundenbetreuung, die Absatz- und Verkaufsförderung und die Erarbeitung von kundenspezifischen Problemlösungen. Die Basis für meine berufliche Entwicklung war meine Ausbildung zum Kaufmann im Groß- und Außenhandel.

In der Anwendung von PC-Software habe ich mich stets weitergebildet. Ich verfüge über sehr gute Kenntnisse in der Arbeit mit Datenbanken, Tabellenkalkulationen und der Textverarbeitung (MS-Office). Daneben habe ich gute Kenntnisse in der Anwendung von Präsentationsprogrammen.

Meine Branchen- und Vertriebserfahrungen würde ich gern in Ihrem Unternehmen einsetzen. Den Lebenslauf habe ich, wie von Ihnen gewünscht, als doc-Attachment angehängt. Für ein persönliches Gespräch stehe ich Ihnen gern zur Verfügung.

Mit freundlichen Grüßen

Sascha Hauschildt

Die Online-Bewerbung von Sascha Hauschildt ist diesmal durch ein Telefonat vorbereitet worden. Herr Hauschildt verwendet eine persönliche E-Mail-Adresse, die sicherstellt, dass seine Bewerbung auch auf dem richtigen Bildschirm landet. Die Cc-Zeile ist bewusst frei gelassen worden. Unter Betreff hat

Die E-Mail ist er mit dem Satz »Bewerbung als Technischer Verkaufsberater«
auch als den Zweck seiner Mail eindeutig benannt.
Ausdruck Der Inhalt der E-Mail ist so aufgebaut, dass auch ein Aus
verwendbar druck den Anforderungen an ein Anschreiben genügen würde. Herr Hauschildt trägt damit der Tatsache Rechnung, dass immer noch viele Unternehmen Online-Bewerbungen ausdru-

cken, um sie weiter zu bearbeiten. Es fehlt weder die eigene Adresse noch die korrekte Unternehmensanschrift. Auch das Erstellungsdatum ist angegeben.

In der Betreffzeile im Text wiederholt Sascha Hauschildt die Angaben aus dem E-Mail-Kopf. Mit dem Verweis auf die vorab geführten Gespräche auf dem Karrieretag und am Telefon schafft er gleich zu Beginn des Anschreibens einen persönlichen Bezug. Dank dieser Gespräche kann er den Personalverantwortlichen Herrn Schretter namentlich ansprechen. Dass bereits ein erster Profilabgleich stattgefunden hat, ruft Herr Hauschildt dem Adressaten mit der Formulierung »Wie bereits dargelegt, verfüge ich über umfassende Vertriebserfahrungen in der Dentalbranche« in Erinnerung. Der Leser in der Personalabteilung wird wohlwollend eingestimmt. **Der persönliche Bezug verschafft Vorteile**

Es folgt eine aussagekräftige Darstellung seiner momentanen Berufstätigkeit. Die Auflistung der unterschiedlichen Aufgaben gibt dem Profil Tiefe. Danach hebt Herr Hauschildt mit der Beschreibung seiner vorausgehenden Positon seine zielgerichtete berufliche Entwicklung hervor. Nach der Nennung wichtiger Zusatzqualifikationen betont er noch einmal seine Branchen- und Vertriebserfahrung. Dass er auf die Wünsche des angemailten Unternehmens eingeht, zeigt er, indem er wie gefordert den Lebenslauf als Attachment anhängt.

Die auf den Punkt gebrachte Darstellung seines Profils wird die Wirkung beim Empfänger nicht verfehlen. Sascha Hauschildt hat die Informationen nach ihrer Relevanz für seine Wunschposition ausgewählt. Nach den vorab geführten Gesprächen hat der Personalverantwortliche Herr Schretter nun auch ein aussagekräftiges Gutachten über die Qualifikation des Bewerbers vor Augen. **Das Anschreiben als Gutachten**

Online-Bewerbung: der schnelle Kontakt

- Online-Bewerbungen verleiten Bewerber dazu, nachlässig zu werden und nichtssagende Rundschreiben auf den Weg ins Internet zu bringen.

- E-Mail-Anschreiben an allgemeine Unternehmensadressen bergen die Gefahr, automatisch als unerwünschte Werbemail gelöscht zu werden.

- Marketing in eigener Sache bedeutet nicht den Einsatz beliebiger Slogans. Eine inhaltliche Auseinandersetzung mit dem eigenen Profil ist unverzichtbar.

- Auch im Internet wird Bewerberauswahl nicht zur Berufsberatung. Online-Bewerber müssen wissen, zu welchem Berufsbild ihre Stärken passen.

- Mit Drückerformulierungen wie »Greifen Sie schnell zu« zeigen Initiativbewerber nur, dass sie selbst unter starkem Druck stehen.

- Beim Versand von Online-Bewerbungen sind unbedingt die von den Unternehmen gemachten formalen Vorgaben zu beachten.

- E-Mail-Anschreiben müssen auch als Ausdruck prüfungsfreundlich sein. Online-Bewerbungen werden zur weiteren Bearbeitung oft ausgedruckt.

- Der Verweis auf vorab geführte Gespräche macht auf Personalverantwortliche einen positiven Eindruck und schafft die Voraussetzung für eine wohlwollende Prüfung.

21

Zwischenspurt: in Telefoninterviews überzeugen

Wenn sich das Unternehmen bei Ihnen meldet und einen Termin für ein telefonisches Interview mit Ihnen vereinbart, hat es angebissen. Sie haben es geschafft, Interesse zu wecken. Bevor das Unternehmen Ihnen eine endgültige Einladung zum Vorstellungsgespräch schickt, will es Sie vorerst telefonisch in Aktion erleben. Anhand von zwei Beispielen zeigen wir Ihnen, wie leicht Sie im Telefoninterview durchfallen können und wie Sie es schaffen, das Interesse an Ihnen weiter zu verstärken.

Wenn sich Unternehmen mit Initiativbewerbern auseinander setzen, sind sie natürlich auch an einem persönlichen Eindruck interessiert. Anders als bei ausgeschriebenen Stellen sind anfallende Kosten für eine Einladung zum Vorstellungsgespräch hier üblicherweise nicht einkalkuliert. Hinzu kommt der größere organisatorische Aufwand, der für einen »Face-to-Face-Kontakt« betrieben werden müsste. Es bietet sich also der Griff zum Telefon an, um sich ein tiefergehendes Bild vom Bewerber zu verschaffen.

Überzeugen im Telefoninterview

Die von den Unternehmen gefragten Soft Skills lassen sich am Telefon durchaus einer ersten Prüfung unterziehen: Kann sich der Bewerber auf seinen Gesprächspartner einstellen (Einfühlungsvermögen und Flexibilität)? Bringt er Informationen auf den Punkt (Kommunikationsstärke und analytische Fähigkeiten)? Bleibt er geduldig (Stressresistenz)? Kann er auch im Gespräch sein Profil adressatenorientiert vermitteln (Kundenorientierung)?

Im Kapitel *Etappensieg: Das Unternehmen meldet sich* haben wir Sie darauf vorbereitet, in telefonischen Interviews zu überzeugen. Jetzt werden Sie sehen, wie wichtig die gute Vorbereitung von Telefoninterviews ist. Der Bewerber im Negativbeispiel war auf die Fragen des Personalverantwortlichen nicht vorbereitet. Im Positivbeispiel agiert der Bewerber überzeugend und schafft es, den Personalverantwortlichen für sich einzunehmen.

Ein guter Eindruck wird zerstört

Peter Sönnichsen arbeitet seit einigen Jahren als Personalreferent. Er hat sich bei seinem Wunschunternehmen mit einer Initiativbewerbung als Human Resources Manager beworben. Vor drei Tagen erhielt er einen Anruf der Sekretärin des Personalverantwortlichen Herrn Kleinschmidt, in dem sie mit ihm einen Termin für ein telefonisches Interview vereinbarte.

Im nun folgenden Negativbeispiel glaubt Herr Sönnichsen, dass in seiner Initiativbewerbung alles gesagt sei. Er hat es nicht für nötig gehalten, sich auf das Telefoninterview vorzubereiten.

Der Schuss aus der Hüfte

Beispiel

Personalverantwortlicher: »International AG, Hans Kleinschmidt. Guten Tag, Herr Sönnichsen.«

Bewerber: »Guten Tag.«

Personalverantwortlicher: »Schön, dass wir einmal persönlich über Ihre Bewerbung bei uns sprechen können. Damit ich mir ein besseres Bild von Ihnen machen kann, würde ich Ihnen gern einige Fragen stellen.«

Bewerber: »Kann losgehen«

Personalverantwortlicher: »Wie sind Sie auf unser Unternehmen gestoßen?«

Bewerber: »Beim Rumsurfen im Internet bin ich darauf gekommen, dass ich ja mal gucken könnte, was ich noch für berufliche Möglichkeiten habe. Unter anderem habe ich auch Ihre Homepage angeklickt.«

Personalverantwortlicher: »Sie haben also nicht gezielt nach einer für Sie interessanten Position gesucht?«

Bewerber: »Eigentlich nicht. Im Großen und Ganzen läuft es an meinem Arbeitsplatz ganz gut, aber es schadet ja nie, sich ein paar Türen offen zu halten. Insbesondere da mein Vorgesetzter doch eher ein schwieriger Typ ist und ich bestimmt mehr leisten könnte, wenn man mich nur ließe.«

Personalverantwortlicher: »Was stört Sie denn an Ihrem derzeitigen Vorgesetzten?«

Bewerber: »Seine Rechthaberei. Es stimmt schon, dass meine Vorschläge vielleicht nicht immer so umsetzbar sind, wie ich mir das vorgestellt habe. Aber ich kann doch verlangen, dass meine Anregungen wenigstens nach oben weitergegeben werden.«

Personalverantwortlicher: »Was erwarten Sie denn von einer Anstellung bei uns?«

Bewerber: »Dass ich mehr Freiräume habe, meine Kreativität endlich gewürdigt wird – und ein Gehaltssprung könnte auch nicht schaden.« Negativbeispiel

Personalverantwortlicher: »Erläutern Sie mir doch einmal, Herr Sönnichsen, warum Sie für unser Unternehmen ein Gewinn sein könnten.«

Bewerber: »Tja, ich arbeite ja schon als Personalreferent, das ist ja die Übersetzung für Human Resources Manager.«

Personalverantwortlicher: »Mit den Aufgabenbereichen eines Human Resources Manager sind Sie also schon in Berührung gekommen?«

Bewerber: »In Berührung sicherlich. In meiner Bewerbung habe ich geschrieben, dass mir diese vertraut sind. Vielleicht war das ein bisschen hoch gehängt, aber im Grunde glaube ich schon, dass es stimmt. Mir werden öfter Fragen gestellt, zum Beispiel nach Urlaub oder der Verwendung der vermögenswirksamen Leistungen. Insofern berate ich wie ein Human Resources Manager Führungskräfte und Mitarbeiter in Personalfragen. Das Internationale fehlt mir ein bisschen. Aber wenn ich weiter in Deutschland arbeite, müssten die Personalsachen ja so geregelt sein, wie es hier üblich ist.«

Personalverantwortlicher: »Unter der Beratung von Führungskräften und Mitarbeitern in Personalfragen verstehe ich eher die Entwicklung von Karriereplänen, die Koordination von Auslandseinsätzen und die Erarbeitung geeigneter Weiterbildungsstrategien. Das, was Sie beschreiben, sind in unserem Unternehmen eher die Tätigkeiten von Personalassistenten.«

Bewerber: »Das konnte ich ja nicht wissen. Ich habe aber noch mehr zu bieten. Internationalität interessiert mich natürlich, und Menschen in ihrer beruflichen Entwicklung zu helfen, finde ich schon eine tolle Sache.«

Personalverantwortlicher: »Dann stellen Sie mir Ihr Profil doch noch einmal deutlich dar.«

Bewerber: »In meinem Anschreiben habe ich dazu doch schon alles gesagt.«

Personalverantwortlicher: »Vielleicht möchten Sie mir ja noch ein paar darüber hinausgehende Informationen geben?«

Bewerber: »Moment, ich muss mal eben den Computer hochfahren, um ins Anschreiben zu gucken. Ich glaube aber, dass in der Bewerbung steht, was über mich wissenswert ist.«

Personalverantwortlicher: »Dann brauchen Sie sich nicht noch einmal extra die Mühe zu machen und nachzusehen. Ich habe Ihre Bewerbung ja vorliegen. Wenn es nichts mehr weiter zu sagen gibt, können wir das Telefongespräch ja auch an dieser Stelle beenden.«

Bewerber: »Fragen Sie ruhig weiter, Herr äh …«

Personalverantwortlicher: »Mein Name ist Kleinschmidt, Hans Kleinschmidt. Sie hören dann von uns Herr Sönnichsen.«

Bewerber: »Hoffentlich nur Gutes.«

Personalverantwortlicher: »Lassen Sie sich überraschen. Auf Wiederhören.«

Bewerber: »Tschüß.«

Am Anfang des Telefongespräches gibt sich Herr Sönnichsen noch dynamisch und hoffnungsvoll. Er versäumt es aber, den Personalverantwortlichen mit Namen anzureden. Statt eine persönliche Basis herzustellen, teilt er dem Personalverantwortlichen mit, dass seine Initiativbewerbung auch bei jedem **Demons-** anderen Unternehmen hätte landen können. Dass er auf das **trieren Sie** Unternehmen gestoßen ist, stellt er als Zufallsergebnis des **konkretes** »Rumsurfens« im Internet dar, womit er die Ernsthaftigkeit **Interesse** seiner Bewerbung in Zweifel zieht. Für den Personalverantwortlichen ist dies natürlich das Signal nachzuhaken. Herr Sönnichsen lässt sich die Chance, wenigstens jetzt konkretes Interesse zu demonstrieren, entgehen und stellt seine Initiativbewerbung als beliebig dar.

Gleichzeitig weckt er neue Zweifel an der Lauterkeit seiner Bewerbungsabsichten, indem er Schwierigkeiten mit seinem Vorgesetzten thematisiert. Auch dies gibt dem Personalverantwortlichen natürlich zu denken. Wieder folgt die Nachfrage. In seiner Antwort gibt Herr Sönnichsen an, dass seine Vorschläge nur zum Teil umsetzbar sind. Er vermittelt den Eindruck, dass er an seinem momentanen Arbeitsplatz nicht besonders erfolgreich ist.

Auf die Frage nach seinen Erwartungen antwortet er mit den bei Personalverantwortlichen gefürchteten Floskeln »mehr Raum für Kreativität und freies Arbeiten«. Die mit einem Augenzwinkern vorgetragene Forderung nach einem Gehaltssprung wirkt kumpelhaft. Trotzdem gibt der Personalverantwortliche ihm erneut eine Chance, sich richtig in Szene zu setzen. Statt sein Profil herauszustellen, antwortet Herr Sönnichsen jedoch rein formal, dass er ja schon als Personalreferent arbeite. **Konkrete Informationen statt Floskeln**

Die Überschneidungen seiner jetzigen Tätigkeitsbereiche mit den Aufgaben in der neuen Stelle, die er in der Initiativbewerbung angegeben hatte, relativiert er auf Nachfrage und lässt damit das Interesse an seiner Person endgültig platzen.

Der Personalverantwortliche reagiert auf das reduzierte Bewerberprofil mit einer Zurechtweisung und erläutert die Anforderungen, die Herr Sönnichsen selbstständig hätte erkennen müssen.

An diesem Punkt wird es Herrn Sönnichsen endlich klar, dass das Gespräch vor dem Abbruch steht, und er bekundet floskelhaft Interesse daran, international zu arbeiten und Menschen in ihrer Entwicklung zu helfen. Wieder macht der Personalverantwortliche gute Miene zum bösen Spiel und gibt ihm eine allerletzte Chance. Auch diese verspielt er, indem er auf sein Initiativanschreiben verweist. Da er völlig unvorbereitet in das Telefoninterview eingestiegen ist, hat er weder sein Anschreiben noch seinen Lebenslauf parat. Er scheint auch nicht mehr zu wissen, was er dem Unternehmen eigentlich genau geschrieben **Unterlagen in Griffnähe** hat; deshalb will er nun mitten im Gespräch seinen Computer konsultieren. Das empfindet der Personalverantwortliche als Zumutung und beendet damit das telefonische Interview.

Die abschließende Formulierung des Personalverantwortlichen »Lassen Sie sich überraschen« verheißt nichts Gutes. Herr Sönnichsen hat sich mit seinem Verhalten im Gespräch selbst disqualifiziert.

Die Zielgerade wird erreicht

Überzeugen Sie durch die vertiefende Beschreibung des Profils Dass ein telefonisches Job-Interview auch anders verlaufen kann, zeigt Ihnen unser Positivbeispiel »Gelungene Überzeugungsarbeit«. Als Strategie wählt der Bewerber Herr Sönnichsen in diesem Beispiel die vertiefende Beschreibung seines Profils. Er bestätigt telefonisch seine Angaben aus seinem Initiativanschreiben und Lebenslauf und liefert wichtige Zusatzinformationen. Insbesondere achtet er darauf, dass die Ernsthaftigkeit seiner Bewerbung deutlich wird.

Gelungene Überzeugungsarbeit

Beispiel

Personalverantwortlicher: »International AG, Hans Kleinschmidt. Guten Tag, Herr Sönnichsen.«

Bewerber: »Guten Tag, Herr Kleinschmidt.«

Personalverantwortlicher: »Schön, dass wir einmal persönlich über Ihre Bewerbung bei uns sprechen können. Damit ich mir ein besseres Bild von Ihnen machen kann, würde ich gern einige Fragen stellen.«

Bewerber: »Ich habe mich sehr über Ihr Interesse an meiner Bewerbung gefreut. Selbstverständlich beantworte ich Ihnen gern Ihre Fragen.«

Personalverantwortlicher: »Wie sind Sie auf unser Unternehmen gestoßen?«

Bewerber: »In meiner momentanen Tätigkeit als Personalreferent bin ich in letzter Zeit vermehrt mit Aufgaben der Personalentwicklung betraut worden. In einem Projekt habe ich an der Optimierung des Mitarbeiterentwicklungssystems gearbeitet. Daher habe ich nach einer Möglichkeit gesucht, noch intensiver in die Bereiche Personalentwicklung, Mitarbeiterschulung und internationales Personalmarketing einzusteigen. Ich wusste von der internationalen Ausrichtung Ihres Unternehmens. In einem ersten persönlichen Kontakt mit Frau Friedl aus dem Marketing, die ich auf einer Messe getroffen habe, bin ich dann in meiner Entscheidung bestätigt worden, mich bei Ihnen bewerben zu wollen.«

Personalverantwortlicher: »Ist ein Aufstieg in die von Ihnen angestrebte Position nicht auch in Ihrem Unternehmen möglich?«

Bewerber: »Ein wesentlicher Punkt ist, dass mein jetziges Unternehmen nicht international ausgerichtet ist. Meine Berührungspunkte mit dem internationalen Personalmarketing stammen aus meiner vorangegangenen Tätigkeit als Personalassistent in einem internationalen Konzern. Dort habe ich den Inter-Company-Personalwechsel betreut und eine Corporate-Skill-Datenbank mit aufgebaut. Während meiner jetzigen Tätigkeit habe ich mich in Eigeninitiative in der internationalen Personalarbeit auf Fachtagungen und in speziellen Seminarangeboten weitergebildet.« Positivbeispiel

Personalverantwortlicher: »Mit welchen Tätigkeiten könnten wir Sie sofort beauftragen, und wo sehen Sie noch Weiterbildungsbedarf?«

Bewerber: »Im operativen Tagesgeschäft wäre ich sofort einsetzbar. Im internationalen Personalmanagement müsste ich sicherlich die Struktur Ihres Unternehmens noch besser kennen lernen. Für mich persönlich wäre auch eine tiefergehende Beschäftigung mit Maßnahmen des Bildungscontrollings interessant.«

Personalverantwortlicher: »Wieso interessiert Sie besonders dieser Punkt?«

Bewerber: »Um die aus der Potenzialerfassung resultierenden Schulungsvorschläge gezielt umsetzen zu können, möchte ich nicht nur geeignete Trainer oder Maßnahmen auswählen, sondern auch den geleisteten Wissenstransfer und Veränderungen im Verhalten überprüfen können. Um die Controllingaspekte kümmere ich mich schon momentan neben meiner Berufstätigkeit. Für mich wäre es schön, wenn ich die Relevanz der Ergebnisse einmal im Unternehmen besprechen könnte.«

Personalverantwortlicher: »Bei uns ließe sich dafür eine Möglichkeit einrichten. Wie wichtig ist denn Führungsverantwortung für Sie, Herr Sönnichsen?«

Bewerber: »Nur insoweit, als ich für die Umsetzung der Unternehmensinteressen Unterstützung durch Mitarbeiter brauche. Momentan arbeiten mir drei Personalassistenten zu; insbesondere Fragen der Bewerberauswahl, aber auch Aufgaben in der reinen Personalverwaltung delegiere ich an meine Mitarbeiter. In leitenden Positionen in der Personalarbeit braucht man zuverlässige Leute. Auch in einer neuen Position möchte ich mich natürlich auf tatkräftige Unterstützung verlassen können.«

Personalverantwortlicher: »In der für Sie infrage kommenden Stelle würden Ihnen fünf Mitarbeiter zugeordnet werden. Hinzu kämen Referenten, die für Sie an unseren Auslandsstandorten tätig wären.«

Bewerber: »Eine reizvolle Perspektive.«

Personalverantwortliche: »Ich finde wir sollten uns persönlich treffen. Haben Sie die Möglichkeit, zu uns nach Aachen zu kommen?«

Bewerber: »Das könnte ich sicherlich einrichten. Welcher Termin wäre für Sie gut geeignet?«

Personalverantwortlicher: »Ich stelle Sie gleich zu meiner Sekretärin durch, vereinbaren Sie doch bitte einen Termin mit ihr. Ich werde ihr mitteilen, dass Sie berufliche Verpflichtungen haben und Ihre Möglichkeiten zu einem Treffen daher eingeschränkt sind. Wir finden sicherlich einen für beide Seiten geeigneten Termin.«

Bewerber: »Ich freue mich darauf, Sie persönlich kennen lernen zu können, Herr Kleinschmidt.«

Personalverantwortlicher: »Auf Wiederhören, Herr Sönnichsen.«

Bewerber: »Bis bald, Herr Kleinschmidt.«

Liefern Sie die Informationen, die gebraucht werden

In unserem Positivbeispiel verstärkt Herr Sönnichsen durch das Telefonat wirkungsvoll das Interesse an seiner Person. Er relativiert weder seine Kenntnisse und Fähigkeiten noch verwendet er nichtssagende Formulierungen. Auf eine Problematisierung seiner momentanen Tätigkeit verzichtet Herr Sönnichsen bewusst. Damit wird der Personalverantwortliche gar nicht erst gezwungen, dauernd nachhaken zu müssen. Er kann sich darauf konzentrieren, einen detaillierten Eindruck von den Fähigkeiten des Bewerbers zu gewinnen.

Setzen Sie sich und Ihre Leistungen optimal in Szene

Es entsteht nicht die von Personalverantwortlichen ungeliebte Verhöratmosphäre, sondern es ergibt sich vielmehr ein Dialog, in dem es um Fragen der Personalarbeit und damit um zentrale Aufgaben der zu besetzenden Stelle geht. Ohne dass der Personalverantwortliche ausdrücklich nachfragen muss, macht der Bewerber seinen Wert für das Unternehmen deutlich. Mit geeigneten Schlüsselbegriffen dokumentiert Herr Sönnichsen seine besonderen Kenntnisse und seine Praxisorientierung.

Machen Sie Ihren Wert für das Unternehmen deutlich

Gleich zu Anfang des Gespräches schafft Herr Sönnichsen die Voraussetzungen für eine persönliche Atmosphäre, indem er den Personalverantwortlichen mit Namen anredet und anklingen lässt, dass er nach wie vor sehr an einem Einstieg in das Unternehmen interessiert ist. Bei der Frage, wie er auf das Unternehmen gestoßen ist, bringt er sein Profil ins Gespräch und betont die Überschneidungen mit seiner Wunschposition. Zusätzlich weist er auf ein vor der Bewerbung geführtes persönliches Gespräch mit einer Mitarbeiterin aus dem Marketing hin.

Seine Wechselabsichten macht Herr Sönnichsen für den Personalverantwortlichen plausibel. Er stellt sicher, dass der Gedanke, es gäbe andere Wechselgründe als das Interesse an der neuen Stelle, gar nicht erst aufkommen kann.

Mit der Thematisierung des Bildungscontrollings liefert Herr Sönnichsen Informationen über sein berufliches Engagement, die er nicht ausführlich in der schriftlichen Bewerbung **Zeigen Sie Ihr** dargestellt hat. Sein Kostenbewusstsein und seine Absicht, die **berufliches** Ziele des Unternehmens konsequent zu verfolgen, werden dem **Engagement** Personalverantwortlichen damit deutlich. Herr Kleinschmidt reagiert umgehend. Mit seiner Aussage »Bei uns ließe sich dafür (für das Bildungscontrolling) eine Möglichkeit einrichten« unterstreicht er, dass er das Profil von Herrn Sönnichsen für sehr interessant hält.

Die Frage nach der gewünschten Führungsverantwortung dient Herrn Kleinschmidt zur Überprüfung, ob er mit einem Bewerber spricht, der eher formal Karriere machen will, oder mit einem Bewerber, der vorrangig an der inhaltlichen Seite der **Ein souve-** Tätigkeit interessiert ist. Auch diese Hürde nimmt Herr Sön**räner Auf-** nichsen souverän. Daraufhin erfolgt eine eindeutige Werbebot**tritt bringt** schaft des Personalverantwortlichen: Um die zu vergebende **Sie weiter** Stelle für Herrn Sönnichsen interessant zu machen, erwähnt er, dass er hier seine Führungsverantwortung noch weiter ausbauen könne. Herr Sönnichsen, der das Angebot als reizvolle Perspektive einschätzt, wird daraufhin zu einem persönlichen Gespräch eingeladen.

Durch sein überzeugendes Verhalten im telefonischen Interview ist Herr Sönnichsen seiner Wunschposition um einen entscheidenden Schritt näher gekommen.

Zwischenspurt:
in Telefoninterviews überzeugen

- Die bisherigen Kontakte zum neuen Unternehmen als Zufallsprodukt darzustellen bringt Ihnen im telefonischen Interview massiv Minuspunkte ein.

- Eine Relativierung der bisherigen beruflichen Leistungen trägt nicht dazu bei, auf der Unternehmensseite Interesse zu erwecken.

- Es ist ein weit verbreiteter Irrtum zu glauben, mit der schriftlichen Bewerbung bereits alle notwendigen Informationen vermittelt zu haben. Wer nicht bereit ist, am Telefon noch einmal sein Profil darzustellen, weckt Zweifel an seinen Überzeugungsfähigkeiten.

- Im Verlauf des Telefoninterviews ist es zu spät, nach Informationen zu suchen. Der bisherige Schriftverkehr mit dem Unternehmen muss Ihnen rechtzeitig präsent sein.

- Bei einem Telefoninterview wissen Sie vorher, wer Sie anrufen wird. Reden Sie den Personalverantwortlichen mit Namen an, um die Bereitschaft zum persönlichen Dialog deutlich zu machen.

- Steuern Sie auf die Darstellung Ihres Profils hin.

- Geben Sie Informationen, die über Ihre schriftliche Bewerbung hinausgehen. Runden Sie Ihr Profil mit dem Verweis auf Zusatzkenntnisse und Spezialgebiete ab.

- Vermeiden Sie den Eindruck, dass Sie vor Ihrer momentanen Tätigkeit oder vor Kollegen und Vorgesetzten fliehen wollen. Liefern Sie überzeugende Gründe dafür, dass der Unternehmenswechsel Ihrer Weiterentwicklung dient.

Mit Initiative
zum Bewerbungserfolg

Bewerber, die wissen, was sie wollen, und die aktiv auf Unternehmen zugehen können, haben unschätzbare Vorteile im Bewerbungsverfahren. Warum lange warten, bis endlich die Wunschposition ausgeschrieben wird? Statt mit einer Vielzahl anderer Bewerber konkurrieren zu müssen, steht bei der Initiativbewerbung nur eine Person im Mittelpunkt: Sie selbst.

Übernehmen Sie die Initiative für Ihr Berufsleben Mit dem Instrument der Initiativbewerbung nehmen Sie es in die Hand, von sich aus auf interessante Arbeitgeber zuzugehen. Sie verschaffen sich damit nicht nur die Möglichkeit, Ihre beruflichen Stärken ausspielen zu können, sondern auch in einem motivierenden Umfeld tätig zu werden. Schließlich geht es für Sie nicht darum, bei irgendeinem Unternehmen unterzukommen. Wenn Sie sich selbst ein angenehmes Arbeitsumfeld suchen können, fördern Sie damit automatisch Ihre eigene berufliche Entwicklung. Dort, wo Sie sich wohl fühlen, werden Sie auch mehr leisten können. Setzen Sie diese Positivspirale mit einer gelungenen Initiativbewerbung für sich in Gang.

Die Initiativbewerbung hat Ihre eigenen Spielregeln. Unvorbereitete Bewerber schlagen sich oft Türen zu, die dann für immer verschlossen bleiben. Ihnen wird dies jetzt nicht mehr passieren. Sie haben gelernt, Ihre Wunschposition zu definieren und die Darstellung Ihrer Vorlieben und Stärken für das Bewerbungsverfahren zuzuschneiden. Mit aktivem Networking haben Sie sich interessante Kontakte in Unternehmen erarbeitet. Das Telefon wird Ihnen jetzt helfen, diese Kontakte für Ihre Bewerbung zu nutzen. Bevor Sie Ihre Bewerbungsunterlagen abschicken, werden Sie schon Interesse für Ihr Qualifikationsprofil geweckt haben. Damit Sie das Wohlwollen des Unternehmens nicht durch schlecht formulierte Anschreiben und Lebensläufe verspielen, haben Sie gelernt, sich im Initiativanschreiben überzeugend darzustellen und den Lebenslauf übersichtlich und aussagekräftig zu gestalten. Der schnelle Draht zum Unternehmen, die Online-Bewerbung, gehört nun zu Ihrem Bewerbungsrepertoire. Stellengesuche können Sie als begleitende Maßnahmen einsetzen. Falls sich das Unternehmen bei Ihnen meldet, um Ihnen in einem Telefonat auf den Zahn zu fühlen, sind Sie vorbereitet und können auch diese letzte Hürde vor der Einladung zum Vorstellungsgespräch mit Gelassenheit nehmen.

Bekennen Sie sich zu Ihrer Persönlichkeit

Bekennen Sie sich zu Ihrer Individualität und Ihren Stärken. Die Unternehmen suchen Mitarbeiter, die fachlich und persönlich zu ihnen passen. Auch Sie sollten nach dieser Maxime vorgehen: Suchen Sie aktiv die Unternehmen, bei denen Sie sich wohl fühlen und die Sie in Ihrer beruflichen und persönlichen Entwicklung weiterbringen. Gehen Sie Ihren eigenen Weg. Nehmen Sie mit unserer Unterstützung Ihr berufliches Schicksal selbst in die Hand.

Viel Erfolg dabei wünschen Ihnen

Christian Püttjer und *Uwe Schnierda*

Register

Wir sind für Sie da

Püttjer & Schnierda Beratung und Seminare

Wir machen Sie fit für den Karrieresprung!

Beratungs- und Seminarangebote finden Sie im Internet unter
www.karriereakademie.de (für Privatkunden)
www.erfolgscoaches.de (für Unternehmen)

Püttjer & Schnierda
Poststraße 12
24239 Achterwehr am Westensee

Telefon: (0 43 40) 40 01 15
Fax: (0 43 40) 40 01 19
E-Mail: info@karriereakademie.de (für Privatkunden)
E-Mail: info@erfolgscoaches.de (für Unternehmen)